Joseph Kessel
L'Armée des ombres (1943)

Extraits choisis

LE DOSSIER

Un roman engagé sur la Résistance

L'ENQUÊTE

Pourquoi et comment est née la Résistance ?

Notes et dossier
Ludivine Chataignon
certifiée de lettres modernes

Collection dirigée par
Bertrand Louët

Sommaire

OUVERTURE

Les sabotages des voies ferrées nuisent à l'occupant et lui rappellent la présence des résistants dans l'ombre.

ISBN : 978-2-218-95920-2

Tous les mots suivis d'un astérisque sont expliqués dans le lexique page 115.

Qui sont les personnages ?

Les rôles principaux

FÉLIX DIT FÉLIX LA TONSURE

Homme de confiance de Gerbier, d'origine modeste, il a tout abandonné pour rallier la Résistance, quitte à passer pour un incapable aux yeux de sa femme et de son petit garçon, qu'il adore pourtant.

PHILIPPE GERBIER

Chef d'un des mouvements de la Résistance, il endosse différentes identités. À la fois homme d'action et de réflexion, il dirige les opérations les plus périlleuses tout en y prenant part. Doté d'un remarquable sang-froid, il ne recule devant aucun sacrifice pour sa cause.

Les seconds rôles

ROGER LEGRAIN

Jeune homme de dix-sept ans emprisonné pour ses idées communistes. Affaibli par la tuberculose, il met cependant ses talents d'électricien au service de Gerbier.

JEAN-FRANÇOIS JARDIE DIT LE PETIT JEAN

Recruté par Félix, il sait utiliser son physique avantageux et son regard franc éloigne toute suspicion. Il obtient très vite des missions de plus en plus importantes. Au cours de l'une d'elles, il découvre un incroyable secret de famille...

LUC JARDIE DIT SAINT-LUC DIT LE PATRON

Qui croirait que derrière son air de bibliothécaire se cache l'état-major de la Résistance ? Luc Jardie est l'un des bras droits du général de Gaulle. Mystérieux et emblématique, certains résistants ne connaissent de lui que son surnom « Le Patron ».

MATHILDE

Mère courage de sept enfants, elle n'hésite pas à cacher dans son landau des journaux interdits ou des explosifs. Capturée, elle s'évade et se jette à corps perdu dans la Résistance, multipliant les missions dangereuses. Jusqu'où ira-t-elle pour la liberté ?

GUILLAUME LE BISON ET CLAUDE LEMASQUE

Hommes de main de Gerbier. D'apparence brutale, Le Bison exécute sans discuter les ordres mais cache un caractère entier et généreux. Entré dans la Résistance pour accomplir des exploits, Lemasque découvre la dure réalité du terrain.

Quelle est l'histoire ?

Les circonstances

Le récit commence en juin 1941, un an après l'armistice signé par le maréchal Pétain le 22 juin 1940. La France est séparée en deux par une ligne de démarcation. Au nord de cette ligne, c'est la zone occupée par les Allemands ; au sud, c'est la zone « libre » placée sous l'autorité du régime de Vichy. Peu à peu, la Résistance s'organise. L'action est contemporaine de la date d'écriture, puisque Joseph Kessel, qui a fui à Londres, termine son récit en septembre 1943.

L'action

1. Arrêté, Gerbier est envoyé dans un camp de concentration. Il y rencontre Legrain qui, par son sacrifice, lui permet de s'évader. Gerbier organise ensuite l'exécution d'un traître, Dounat, avec Félix, Le Bison et Lemasque.

2. À Nice, Félix recrute Jean-François. Gerbier lui confie alors une mission délicate : conduire leur mystérieux « patron » à un sous-marin. Réfugié à Londres, celui-ci raconte les exploits des résistants. Parmi eux, Mathilde, une redoutable combattante.

Le but

« Le héros national, c'est le clandestin, c'est l'homme dans l'illégalité » écrit Joseph Kessel dans sa préface. Dans ce roman rédigé sous l'Occupation, l'auteur rend un vibrant hommage à toutes les formes de résistance. Il raconte avec réalisme et sincérité des « faits authentiques » de cette période qu'il a vécue.

Jeunes résistants réfugiés dans le maquis.

3. Parachuté en France, Gerbier rédige les faits dont il est témoin ou acteur. La Gestapo intensifie son action, torturant et tuant les résistants. Félix, Lemasque et Mathilde, pris à leur tour, survivront-ils ?

4. Capturé de nouveau, Gerbier attend d'être fusillé. Il se jure de ne pas fléchir devant ses tortionnaires. Mais, dans une voiture, derrière le mur de la prison, le Bison, Mathilde et Jean-François attendent le moment propice pour intervenir...

Qui est l'auteur ?

Joseph Kessel (1898-1979)

● LE GOÛT DE L'AVENTURE

Fils d'émigrés juifs, Joseph Kessel passe son enfance à l'étranger avant de revenir en France. Devenu journaliste en 1915, il s'engage dans la guerre dès 1916. Il obtient la nationalité française et la croix de guerre.

● L'INSPIRATION PAR LE VOYAGE

Il mène ensuite une carrière de reporter et de romancier. Ses voyages lui inspirent de nombreux récits dont *Les Captifs*, primé par l'Académie française en 1926.

● L'ENGAGEMENT DANS LA RÉSISTANCE

Correspondant de guerre pendant la Deuxième Guerre mondiale, il rejoint la Résistance après l'armistice et se rend à Londres où il s'engage dans les FFL du général de Gaulle. En mai 1941, il écrit, avec son neveu Maurice Druon, l'hymne de la Résistance, le « Chant des partisans », juste avant *L'Armée des ombres*.

● LA CONSÉCRATION LITTÉRAIRE

À la Libération, il redevient reporter. Ainsi écrit-il son chef-d'œuvre, *Les Cavaliers* (1967), après un voyage en Afghanistan. Reçu à l'Académie française le 22 novembre 1962, il décède le 23 juillet 1979.

VIE DE JOSEPH KESSEL	**1898** Naissance de Joseph Kessel	**1916** Engagement dans l'armée (artillerie puis aviation)	**1923** Publication de *L'Équipage*	**1926** Publication des *Captifs*	**1943** Écriture du « Chant des Partisans » et de *L'Armée des ombres*
HISTOIRE	**1914** Début de la 1re Guerre mondiale	**1918** Armistice signé le 11 novembre	**1933** Hitler devient chancelier de l'Allemagne	**1939** Début de la 2e Guerre mondiale	**1940** Appel du général de Gaulle, la France est divisée en deux

Que se passe-t-il à l'époque ?

Sur le plan politique

● L'EUROPE EN PROIE À LA GUERRE
L'armistice du 11 novembre 1918 met fin à la Première Guerre mondiale. Mais l'invasion de la Pologne par Hitler, le 1er septembre 1939, provoque une Deuxième Guerre mondiale.

● LA CAPITULATION DE LA FRANCE
L'armée française est vaincue par l'armée allemande. Le 22 juin 1940, le maréchal Pétain signe l'armistice malgré l'appel à la résistance du général de Gaulle, réfugié à Londres.

● LE MONDE DANS L'ÉTAU NAZI
Les nazis pillent financièrement, matériellement et humainement les pays occupés. À la pénurie alimentaire s'ajoute un régime de terreur. Les opposants sont envoyés en camps.

Dans le domaine des lettres

● LE SURRÉALISME
Bouleversés par la barbarie de la guerre, certains écrivains et artistes se rassemblent derrière André Breton en 1924 et opposent à la logique et au sens moral le rêve et l'imaginaire.

● LA LITTÉRATURE ENGAGÉE
La Seconde Guerre mondiale accélère l'engagement des écrivains, au théâtre (Giraudoux, Anouilh) et dans le roman (Malraux). Aragon, Éluard ou Char mettent la poésie au service de la Résistance.

● LA PHILOSOPHIE DE L'ABSURDE
À l'après-guerre, Sartre prône l'existentialisme (philosophie qui met en avant le vécu humain), Camus répond par la révolte à l'absurdité de la vie.

1958
Publication du *Lion*

1962
Joseph Kessel est élu à l'Académie française

1967
Publication des *Cavaliers*

1979
Mort de Joseph Kessel

1945
Capitulation de l'Allemagne, bombe d'Hiroshima

1946
Début de la IVe République en France

1958
Début de la Ve République en France

1962
Fin de la guerre d'Algérie (commencée en 1954)

1981
François Mitterrand est élu président de la République

L'Armée des ombres

L'ARRIVÉE DE GERBIER AU CAMP

Il pleuvait. La voiture cellulaire[1] montait et descendait lentement la route glissante qui suivait les courbes des collines. Gerbier était seul à l'intérieur de la voiture avec un gendarme. Un autre gendarme conduisait. Celui qui gardait Gerbier avait
5 des joues de paysan et l'odeur assez forte.

Comme la voiture s'engageait dans un chemin de traverse[2], ce gendarme observa :

– On fait un petit détour, mais vous n'êtes pas pressé, je pense.

– Vraiment pas, dit Gerbier, avec un demi-sourire.

10 La voiture cellulaire s'arrêta devant une ferme isolée. Gerbier ne voyait, par la lucarne[3] grillagée, qu'un bout de ciel et de champ. Il entendit le conducteur quitter son siège.

– Ce ne sera pas long, dit le gendarme. Mon collègue va prendre quelques provisions. Il faut se débrouiller comme on
15 peut par ces temps de misère●.

– C'est tout naturel, dit Gerbier.

Le gendarme considéra son prisonnier en hochant la tête. Il était bien habillé cet homme et il avait la voix franche, la mine avenante[4]. Quel temps de misère... Ce n'était pas le premier à
20 qui le gendarme était gêné de voir des menottes.

– Vous ne serez pas mal dans ce camp-là ! dit le gendarme. Je ne parle pas de la nourriture, bien sûr. Avant la guerre les

1. **Voiture cellulaire** : voiture qui transporte des prisonniers.
2. **Chemin de traverse** : raccourci à travers les champs.
3. **Lucarne** : petite fenêtre dans la voiture.
4. **Avenante** : agréable, rassurante.

● **Sous l'Occupation, les Français manquent de nourriture. Ils recourent donc au marché noir et s'approvisionnent dans les fermes où on trouve plus facilement des vivres.**

chiens n'en auraient pas voulu. Mais pour le reste, c'est le meilleur camp de concentration qui soit en France, à ce qu'on
25 assure. C'est le camp des Allemands●.

– Je ne comprends pas très bien, dit Gerbier.

– Pendant la drôle de guerre● on s'attendait, je pense, à faire beaucoup de prisonniers, expliqua le gendarme. On a installé un grand centre pour eux dans le pays. Naturellement il n'en est
30 pas venu un seul. Mais aujourd'hui, ça rend bien service.

– En somme, une vraie chance, remarqua Gerbier.

– Comme vous dites, Monsieur, comme vous dites ! s'écria le gendarme.

Le conducteur remonta sur son siège. La voiture cellulaire se
35 remit en route. La pluie continuait de tomber sur la campagne limousine●.

- : -

Gerbier, les mains libres, mais debout, attendait que le commandant du camp lui adressât la parole. Le commandant du

● **Il s'agit d'un camp d'emprisonnement prévu pendant la Première Guerre mondiale pour les prisonniers allemands et réutilisé pendant la Deuxième Guerre mondiale pour enfermer les opposants, réels ou non, au régime de Vichy.**

● **Expression qui renvoie à l'entrée en guerre des Français lors de la Deuxième Guerre mondiale. La France n'engage alors aucune action militaire et choisit une stratégie de défense avec la ligne Maginot, un mur de fortification construit en 1930 à la frontière allemande.**

● **Dans le Limousin, vers la ville de Limoges. En 1941, le département de la Haute-Vienne est en zone libre mais à proximité de la ligne de démarcation.**

camp lisait le dossier de Gerbier. Parfois, il enfonçait le pouce
40 de sa main gauche au creux de sa joue et le retirait lentement. La chair grasse, molle et malsaine[1], gardait l'empreinte blanche, quelques secondes, et se regonflait avec peine comme une vieille éponge sans élasticité. Ce mouvement marquait les temps de réflexion du commandant.

45 – « Toujours la même chose, pensait-il. On ne sait plus qui on reçoit, et comment les traiter. »

Il soupira au souvenir de l'avant-guerre, et de l'époque où il était directeur de prison. Il fallait seulement se montrer prudent pour les bénéfices faits sur la nourriture●. Le reste ne présentait
50 aucune difficulté. Les prisonniers se rangeaient d'eux-mêmes en catégories connues et à chaque catégorie correspondait une règle de conduite. Maintenant, tout au contraire, on pouvait prélever ce qu'on voulait sur les rations du camp (personne ne s'en inquiétait), mais c'était un casse-tête que de trier les gens. Les
55 uns qui arrivaient sans jugement, sans condamnation, restaient enfermés indéfiniment. D'autres, chargés d'un dossier terrible, sortaient très vite et reprenaient de l'influence dans le département, à la préfecture régionale, voire même à Vichy.

Le commandant ne regardait pas Gerbier. Il avait renoncé
60 à se faire une opinion d'après les visages et les vêtements. Il essayait de deviner entre les lignes, dans les notes de police que lui avaient remises les gendarmes en même temps que leur prisonnier.

1. **Malsaine** : malade.

● **Le directeur de prison détournait une partie des sommes prévues pour la nourriture des prisonniers.**

Caractère indépendant, esprit vif; attitude distante et ironique[1] » lisait le commandant. Et il traduisait « à mater ». Puis « Ingénieur distingué des ponts et chaussées », et, son pouce dans la joue, le commandant se disait « à ménager ».

« Soupçonné de pensées gaullistes[2] » – « à mater, à mater ». Mais ensuite : « Libéré sur non-lieu[3] » – « influence, influence... à ménager ».

Le pouce du commandant creusa plus profondément la chair adipeuse[4]. Il sembla à Gerbier que la joue ne reviendrait jamais à son niveau normal. Pourtant l'œdème disparut petit à petit. Alors le commandant déclara avec une certaine solennité[5] :

– Je vais vous mettre dans un pavillon qui était prévu pour des officiers allemands.

– Je suis très sensible à cet honneur, dit Gerbier.

Pour la première fois le commandant dirigea son regard lourd et vague d'homme qui mangeait trop vers la figure de son nouveau prisonnier.

Celui-ci souriait mais seulement à demi ; les lèvres étaient fines et serrées.

« À ménager, certes, pensa le commandant du camp, mais à ménager avec méfiance. »

- : -

Le garde-magasin[6] donna à Gerbier des sabots et un bourgeron de bure rouge[7].

1. **Ironique** : moqueuse.
2. **Gaullistes** : Gerbier soutient le Général de Gaulle.
3. **Non-lieu** : décision du juge de ne pas poursuivre un inculpé.
4. **Adipeuse** : grasse.
5. **Solennité** : de façon officielle.
6. **Le garde-magasin** : employé chargé de surveiller un magasin ou un entrepôt.
7. **Bourgeron de bure rouge** : petite blouse de toile rouge.

– C'était prévu, commença-t-il, pour les prisonniers...

– Allemands, je le sais, dit Gerbier.

Il enleva ses vêtements, enfila le bourgeron. Puis, sur le seuil
90 du magasin il promena ses yeux à travers le camp. C'était un plateau ras, herbeux, autour duquel se liaient et se déliaient des ondulations[1] de terrain inhabité. La pluie tombait toujours du ciel bas. Le soir venait. Déjà les réseaux de barbelés et le chemin de ronde[2] qui les séparaient étaient éclairés durement. Mais les
95 bâtiments de taille inégale répandus à travers le plateau demeuraient obscurs. Gerbier se dirigea vers l'un des plus petits.

Chapitre I, L'évasion, p. 11 à 15.

Philippe Gerbier est placé avec cinq autres détenus. Parmi eux, se trouvent Armel, un instituteur, et surtout Roger Legrain, un jeune communiste emprisonné depuis plus d'un an, électricien de formation. Malgré une incarcération aux conditions difficiles, Legrain demeure ferme et droit.

1. **Ondulations** : déformations du sol.
2. **Chemin de ronde** : longue plate-forme en hauteur de laquelle les gardes surveillent la prison.

Le camp et la misère des détenus

Dans l'après-midi, le ciel s'étant éclairci un peu, Gerbier fit le tour du camp. Cela lui prit plusieurs heures. Le plateau était immense et occupé entièrement par la cité des internés. On voyait qu'elle avait grandi en désordre par à-coups, et à mesure
5 que les ordres de Vichy drainaient vers cette haute terre nue le peuple toujours croissant des captifs●. Au milieu s'élevait le noyau du début que l'on avait bâti pour les prisonniers allemands. Les constructions en étaient décentes[1] et solides. Les bureaux de l'administration pénitentiaire s'étaient établis dans les meilleures
10 d'entre elles. Puis des baraques en planches, en tôle ondulée, en carton goudronné, s'échelonnaient à perte de vue. Cela ressemblait aux zones lépreuses● qui ceinturent les grandes villes. Il avait fallu de la place, encore de la place, toujours de la place.

Pour les étrangers. Pour les trafiquants. Pour les francs-
15 maçons. Pour les Kabyles. Pour les adversaires de la Légion. Pour les Juifs. Pour les paysans réfractaires. Pour les Romanichels. Pour les anciens repris de justice. Pour les suspects politiques. Pour les suspects d'intention. Pour ceux qui gênaient le gouvernement. Pour ceux dont on craignait l'influence sur le peuple.
20 Pour ceux qui avaient été dénoncés sans preuve. Pour ceux qui avaient purgé leur peine et qu'on ne voulait pas laisser libres.

1. **Décentes** : convenables.

● **Par métaphore*, Kessel assimile ici les prisonniers à un peuple entier tant ils sont nombreux.**

● **La lèpre était une maladie très contagieuse et mortelle. La référence à la maladie souligne l'exclusion des prisonniers.**

Pour ceux que les juges refusaient de condamner, de juger, et que l'on punissait de leur innocence...

Ils étaient des centaines d'hommes pris à leur famille, à leurs 25 travaux, à leur ville, à leur vérité, et parqués dans des camps sur une simple décision de fonctionnaires pour une durée sans limite, comme des épaves sur une plage vaseuse que la mer n'atteint plus.

Pour garder ces hommes dont la foule augmentait chaque 30 jour, il avait fallu d'autres hommes, eux aussi toujours plus nombreux. On les avait recrutés au hasard, en hâte, parmi les chômeurs de la plus pauvre espèce, les bons à rien, les alcooliques, les dégénérés[1]. Ils n'avaient pour uniforme, sur leurs vêtements misérables, qu'un béret et un brassard[2]. On les payait très mal. 35 Ces déclassés[3] avaient soudain du pouvoir. Ils se montraient féroces. Ils faisaient argent de tout : des rations de famine qu'ils réduisaient de moitié, du tabac, du savon, des menus objets de toilette, qu'ils revendaient à des prix monstrueux. La corruption[4] était le seul moyen d'agir sur ces gardiens.

40 Pendant sa promenade Gerbier s'assura de la sorte deux fournisseurs. Gerbier échangea aussi quelques paroles avec des internés étendus devant leurs baraques. Il eut le sentiment d'approcher une sorte de moisissure, de champignons rougeâtres à forme humaine. Ces gens sous-nourris, flottants et transis dans leurs

1. **Dégénérés** : individus atteints de maladies physique ou mentale.
2. **Brassard** : bande de tissu nouée autour du bras comme signe distinctif.
3. **Déclassés** : personnes mal placées dans la société.
4. **Corruption** : le fait de payer en cachette les gardiens afin d'obtenir des avantages ou des biens.

Kessel désigne ici les victimes et opposants du régime de Vichy et des nazis. Ces prisonniers sont opprimés pour diverses raisons comme leur religion, leur pays d'origine, leurs opinions politiques, leur influence locale ou nationale.

Les prisonniers sont comparés à des épaves pour montrer à quel point le camp les dénature et détruit leur humanité.

45 bourgerons, désœuvrés, pas rasés, mal lavés, avaient les yeux vagues et vides, la bouche molle et sans ressort. Gerbier pensa que cet abandon était assez naturel. Les vrais révoltés, quand ils étaient pris, étaient tenus à l'ordinaire dans les prisons profondes et muettes, ou remis à la Gestapo●. Il y avait sans doute, même 50 dans ce camp, quelques hommes résolus et qui ne cédaient pas au pourrissement. Mais il fallait du temps pour les déceler, au milieu de cet immense troupeau, rompu par l'adversité. Gerbier se rappela Roger Legrain, ses traits épuisés mais inflexibles[1], ses maigres épaules courageuses. Pourtant c'était lui qui avait passé 55 le plus de mois dans le pourrissoir[2]. Gerbier se dirigea vers la station d'électricité qui se trouvait parmi ces bâtiments centraux qu'on appelait dans le camp le quartier allemand.

Comme il y arrivait Gerbier croisa une file de Kabyles squelettiques qui poussaient devant eux des brouettes chargées de 60 poubelles. Ils avançaient très lentement. Leurs poignets semblaient près de se briser. Leurs têtes étaient trop lourdes à leurs cous d'oiseaux décharnés[3]. L'un d'eux trébucha et sa brouette, basculant, renversa la poubelle. Des épluchures, des restes sordides, se répandirent sur le sol. Avant que Gerbier n'ait eu le 65 temps de comprendre, il vit une sorte de meute enragée, affolée, se jeter sur les détritus. Puis il vit accourir une autre meute. Les gardiens se mirent à frapper à coups de poing, de pied, de gourdin, de nerf de bœuf. D'abord ils frappèrent pour mettre de l'ordre et par devoir. Mais ils y prirent vite du plaisir et comme

1. **Inflexibles** : fermes, déterminés.
2. **Pourrissoir** : lieu où pourrissent les cadavres, tombeau.
3. **Décharnés** : très maigres, sans chair.

● **Gestapo : police politique nazie (*Geheime Staatspolizei* en allemand) mise en place par Hitler lors de son arrivée au pouvoir.**

70 de l'enivrement[1]. Ils visaient aux points fragiles et vulnérables de l'homme. Au ventre, aux reins, au foie, aux parties sexuelles. Ils n'abandonnaient leur victime qu'inanimée.

Gerbier entendit soudain la voix sourde et sifflante de Legrain.

– Ça me rend fou de penser qu'on a été chercher ces mal-
75 heureux chez eux en Afrique●. On leur a parlé de la France, de la belle France, et du Maréchal le bon grand-père●. On leur a promis dix francs par jour ; aux chantiers ils n'en ont reçu que la moitié. Ils ont demandé pourquoi. On les a envoyés ici. Ils crèvent comme des mouches. Et quand ils n'ont pas eu le temps
80 de crever voilà ce qui se passe...

À bout de souffle, Legrain se mit à tousser d'une longue toux creuse.

– Toutes les dettes se payeront, dit Gerbier.

Son demi-sourire était à ce moment d'une acuité extrême. La
85 plupart des gens éprouvaient du malaise quand cette expression passait sur les traits de Gerbier. Mais elle inspira une grande confiance à Legrain.

Chapitre I : L'évasion, p. 21 à 25.

Legrain est affecté par la mort d'Armel, son camarade de cellule. Cela incite Gerbier à le prendre sous son aile. Il lui parle alors de la Résistance le mot « le plus beau, en ce temps, de toute la langue française ». Gerbier évoque avec lui les actions entreprises par les opposants aux nazis. Il redonne alors vie et espoir à Legrain.

1. **Enivrement** : plaisir grandissant.

● **Il s'agit d'immigrés africains issus des colonies françaises qui sont également réprimés par les nazis et leurs partisans.**

● **Le régime de Vichy crée un véritable culte autour du maréchal Pétain, au moyen d'affiches le représentant ou d'expressions le désignant, comme c'est ici le cas.**

La préparation de l'évasion

Un matin, en allant à son travail, Legrain demanda soudain :

– Monsieur Gerbier, vous êtes un chef dans la résistance ?

Gerbier considéra avec une attention presque cruelle le jeune visage brûlant et ravagé de Legrain. Il y vit une loyauté et une dévotion sans bornes[1].

– J'étais dans l'état-major[2] d'un mouvement, dit-il. Personne ici ne le sait. Je venais de Paris ; on m'a arrêté à Toulouse sur une dénonciation, je pense. Mais aucune preuve. Ils n'ont même pas osé me juger. Alors ils m'ont envoyé ici.

– Pour combien de temps ? demanda Legrain.

Gerbier haussa les épaules et sourit.

– Le temps qu'il leur plaira, voyons, dit-il. Tu le sais mieux que personne.

Legrain s'arrêta et regarda fixement le sol. Puis il dit d'une voix étouffée mais très ferme :

– Monsieur Gerbier, il faut que vous partiez d'ici.

Legrain fit une pause, releva la tête et ajouta :

– On a besoin de vous dehors.

Comme Gerbier ne répondait pas, Legrain reprit :

– J'ai une idée... et je l'ai depuis longtemps... Je vous la raconterai ce soir.

Ils se quittèrent. Gerbier acheta des cigarettes au gardien qui lui servait de fournisseur. Il fit le tour du plateau. Il avait son sourire habituel. Il atteignait pourtant au but qu'il avait

1. **Dévotion sans bornes** : dévouement illimité.
2. **État-major** : officiers directement au service d'un officier supérieur, qui élaborent les opérations et transmettent les ordres.

25 poursuivi à travers les récits et les images dont il avait patiemment enivré[1] Legrain.

- : -

– Je vais vous dire mon idée, chuchota Legrain, lorsqu'il fut assuré que le colonel, le voyageur de commerce et le pharmacien dormaient profondément.

30 Legrain se recueillit et chercha ses mots. Puis il dit :

– Qu'est-ce qui empêche de s'évader ? Il y a deux choses – les barbelés et les patrouilles. Pour les barbelés, le sol n'est pas au même niveau partout, et il y a des endroits où un homme mince comme vous l'êtes, Monsieur Gerbier, peut se couler par-
35 dessous, en se déchirant un peu.

– Je connais tous ces endroits, dit Gerbier.

– Voilà pour les barbelés, dit Legrain. Reste les patrouilles. Combien de minutes vous faut-il pour courir jusqu'au chemin de ronde, passer et vous perdre dans la nature ?

40 – Douze... Quinze au plus, dit Gerbier.

– Eh bien, je peux faire en sorte que les gardiens soient aveugles plus longtemps que ça, dit Legrain.

– Je le pense, dit paisiblement Gerbier. Il n'est pas difficile pour un électricien adroit d'arranger à l'avance une panne de
45 courant.

– Vous y pensiez, murmura Legrain. Et vous ne m'en avez jamais touché un mot.

– Je sais commander ou accepter. Je ne sais pas demander, dit Gerbier. J'attendais que la chose vienne de toi.

50 Gerbier s'appuya sur un coude comme pour essayer de discerner à travers l'obscurité le visage de son compagnon. Et il dit :

1. **Enivré** : excité, grisé.

– Je me suis demandé souvent pourquoi, ayant ce moyen à ta disposition, tu n'en as pas profité.

Legrain eut une quinte de toux avant de répondre.

– Dans le commencement, j'ai parlé de la chose avec Armel. Il n'a pas été d'avis. Il se résignait trop facilement peut-être. Mais dans un sens c'était vrai ce qu'il disait. Avec nos bourgerons et sans papiers, sans carte d'alimentation, on ne serait pas allés bien loin. Puis Armel est tombé malade. Je ne pouvais pas le laisser. Et moi-même ça n'allait plus trop fort. Pour vous c'est tout différent. Avec vos amis de la résistance...

– J'ai déjà établi un contact par le gardien qui me vend des cigarettes, dit Gerbier.

Il ajouta sans transition :

65 – Dans une semaine, deux au plus tard, nous pouvons partir.

Il y eut un silence. Et le cœur de Legrain cogna si fort dans son flanc délabré que Gerbier entendit ses battements. Le jeune homme murmura :

– C'est bien *nous* que vous avez promis, Monsieur Gerbier ?

70 – Mais évidemment, dit Gerbier. Qu'est-ce que tu pensais donc ?

– Je croyais par instants que vous me prendriez avec vous. Mais je n'osais pas en être sûr, dit Legrain.

Gerbier demanda lentement et en appuyant sur chaque mot :

75 – Alors tu avais accepté l'idée de préparer mon évasion tout en restant ici ?

– La chose était entendue comme ça avec moi-même, dit Legrain.

– Et tu l'aurais fait ?

80 – On a besoin de vous, Monsieur Gerbier, dans la résistance.

Depuis quelques minutes Gerbier avait très envie de fumer. Il attendit pourtant avant d'allumer une cigarette. Il détestait de laisser voir la moindre émotion sur ses traits.

Chapitre I : L'évasion, p. 35 à 43.

Les jours suivants, Gerbier et Legrain préparent leur évasion. Mais Gerbier est inquiet car l'état de santé du jeune homme ne cesse de se dégrader. De plus, ses réactions deviennent étranges et incohérentes.

Le choix de Legrain

– Tiens-toi prêt, Roger, il n'y en a plus pour longtemps.

Alors, une fois encore Gerbier entendit les mouvements du cœur de Legrain.

– Monsieur Gerbier, murmura difficilement le jeune homme, 5 il faut que je vous dise quelque chose.

Il reprit son souffle, avec peine.

– Je ne pars pas, dit-il.

Malgré tout l'empire[1] qu'il avait sur lui-même, Gerbier fut sur le point d'élever la voix d'une façon imprudente. Mais il se 10 maîtrisa et parla sur le diapason[2] habituel de ses entretiens dans l'ombre.

– Tu as peur ? demanda-t-il très doucement.

– Oh ! Monsieur Gerbier, gémit Legrain.

Et Gerbier fut sûr que Legrain était inaccessible à la crainte. 15 Aussi sûr que s'il avait pu voir son visage.

– Tu crois que tu es trop fatigué pour faire la route ? dit Gerbier. Je te porterai s'il le faut.

– Je l'aurais fait. Je l'aurais fait, même bien plus longue, dit Legrain.

20 Et Gerbier sentit que cela était vrai.

– Je vais vous expliquer, Monsieur Gerbier, seulement ne me parlez pas, dit Legrain. Il faut que je fasse vite, et c'est bien malaisé[3].

Les poumons de Legrain sifflèrent. Il toussa et reprit :

1. **Empire** : sang-froid.
2. **Diapason** : ton.
3. **Malaisé** : difficile.

25 – Quand je suis allé chercher les cachets pour dormir comme vous me l'aviez commandé, j'ai vu le docteur. Il est gentil le docteur. C'est un vieux qui comprend. Il nous a fait mettre ici avec Armel parce que ici au moins il ne pleut pas à travers la toiture et le plancher reste sec. Il ne pouvait rien de plus. C'est 30 pour vous dire qu'on peut causer avec lui. Il ne m'a pas trouvé bonne mine. Il m'a ausculté. Je n'ai pas tout bien compris de ce qu'il m'a raconté... Mais assez quand même pour savoir que j'ai un poumon perdu et l'autre qui se prend. Il a soupiré très fort de me voir toujours enfermé et sans espoir de sortir. Alors 35 je lui ai demandé ce qui arriverait si j'étais dehors. Alors il m'a dit qu'avec deux années de sana● je pouvais me consolider. Sans ça, je n'étais bon à rien. Je suis sorti de chez lui assommé. Vous m'avez vu... Je pensais tout le temps à ce que vous m'aviez raconté de la vie de la résistance. J'ai mis jusqu'à ce matin à 40 comprendre que je ne pouvais pas partir.

Gerbier se croyait très dur. Et il l'était. Il croyait ne jamais agir sans réflexion. Et il le faisait. Il n'avait enflammé Legrain de ses récits que pour avoir un sûr complice. Pourtant ce fut sans réflexion, sans calcul et saisi par une contraction incon- 45 nue, qu'il dit :

– Je ne vais pas te laisser. J'ai des moyens d'argent et j'en trouverai d'autres ; tu seras à l'abri, soigné. Tu te retaperas le temps qu'il faut.

– Ce n'était pas pour ça que je partais, Monsieur Gerbier, dit 50 la voix tranquille du jeune homme invisible●. Je voulais être

● **Sanatorium, centre médical spécialisé dans le traitement de la tuberculose, une maladie contagieuse qui infecte les poumons et qui se développe sous l'Occupation, en raison des privations alimentaires.**

● **Dans la pénombre, Legrain est comme invisible.**

agent de liaison[1]. Je ne veux pas prendre les tickets● des copains pour ma petite santé. Je ne veux pas encombrer la résistance. Vous m'avez trop bien montré ce qu'elle était.

Gerbier se sentit physiquement incapable de répondre, et
55 Legrain poursuivit :

– Mais quand même je suis bien content de connaître la résistance. Je ne vais plus être tellement malheureux. Je comprends la vie et je l'aime. Je suis comme Armel, maintenant. J'ai la foi.

60 Il s'anima un peu et d'un ton plus farouche[2] :

– Mais ce n'est pas dans l'autre monde que j'attends la justice, Monsieur Gerbier. Dites aux amis ici et de l'autre côté de l'eau, dites-leur qu'ils se dépêchent. Je voudrais avoir le temps de voir la fin des hommes aux yeux vides.

65 Il se tut et le silence qui suivit, ni l'un, ni l'autre n'en mesura la durée. Sans le savoir ils avaient tous les deux le regard fixé sur la fente de la porte par où l'on voyait briller les feux du chemin de ronde. Ils se levèrent en même temps parce que ce fil lumineux sauta d'un coup. Les ténèbres de la liberté avaient rejoint
70 les ténèbres prisonnières. Gerbier et Legrain étaient à la porte.

Contre toute prudence, contre tout bon sens Gerbier parla encore :

– Ils s'apercevront du sabotage, ils verront que je me suis évadé. Ils feront le rapprochement. Ils penseront à toi.

1. **Agent de liaison** : personne chargée de maintenir le contact entre les résistants.
2. **Farouche** : ici au sens de ferme, intransigeant.

● **Sous l'Occupation, la nourriture et les biens de consommation courante sont rationnés. Chaque Français recevait des tickets de rationnement dont la quantité était déterminée par l'âge et le métier exercé.**

75 – Qu'est-ce qu'ils peuvent me faire de plus ? murmura Legrain.

Gerbier ne partait toujours pas.

– Au contraire je vous serai utile, dit le jeune homme. On viendra me chercher pour réparer. Je sortirai si vite qu'ils ne 80 verront pas votre paillasse[1] vide et je les entortillerai une bonne demi-heure encore. Vous serez loin avec le Bison.

Gerbier franchit le seuil.

– Réfléchis une dernière fois, dit-il presque suppliant.

– Je n'ai pas un caractère à être à la charge de personne, répon- 85 dit Legrain. Ce n'est pas avec la résistance que je commencerai.

Gerbier glissa entre les battants sans se retourner et piqua vers le défaut des barbelés. Il l'avait étudié cent fois et il avait compté cent fois ses pas jusqu'à ce lieu.

Legrain ferma soigneusement la porte, alla vers son grabat[2], 90 mordit la toile de la paillasse et resta étendu, très sage.

Chapitre I : L'évasion, p. 50 à 53.

Grâce à l'aide de Legrain, Gerbier parvient à s'échapper du camp mais, conformément à la volonté du jeune électricien, il s'enfuit seul.

1. **Paillasse** : matelas formé par un sac rempli de paille ou de feuilles sèches.
2. **Grabat** : lit médiocre, paillasse.

La capture du traître Dounat

Une note de l'organisation à laquelle il appartenait avait prescrit à Paul Dounat (qui s'appelait maintenant Vincent Henry) de se trouver à Marseille vers le milieu de l'après-midi et d'attendre un camarade qu'il connaissait bien devant l'Église des Réformés[1]. Dounat était à l'endroit convenu depuis quelques minutes lorsqu'une voiture à gazogène● le dépassa et s'arrêta à une trentaine de mètres en contrebas. Un homme de petite taille en descendit. Il portait un chapeau melon, un pardessus marron foncé et roulait fortement des épaules en marchant. Cet homme que Dounat n'avait jamais rencontré, alla droit à lui et dit en montrant une carte de la Sûreté[2] :

– Police, vos papiers.

Dounat obéit. Ses fausses pièces d'identité étaient parfaites. L'homme au chapeau melon dit avec plus d'aménité[3] :

– Je vois que vous êtes en règle, Monsieur. Je vous prierai tout de même de m'accompagner jusqu'à nos bureaux. Une simple vérification.

Dounat s'inclina. Il ne craignait pas davantage la vérification.

Près de la voiture, le chauffeur se tenait devant le marchepied. Il était massif et avait un nez écrasé de boxeur. Il ouvrit la portière et poussa Dounat à l'intérieur d'un même mouvement. L'homme au chapeau melon monta sur les talons de Dounat.

1. **Église des Réformés** : église protestante.
2. **Sûreté** : organisme de police chargé d'assurer l'information et la surveillance policière.
3. **Aménité** : douceur.

● **Sous l'Occupation, la pénurie concernait aussi les combustibles, d'où l'apparition de véhicules équipés d'un moteur fonctionnant au gaz.**

L'automobile partit très vite sur la pente. Dounat vit enfoncé dans un coin, et la tête rejetée en arrière pour qu'on ne l'aper-
25 çût pas du dehors, André Roussel, qui portait aussi le nom de Philippe Gerbier et qui avait laissé pousser sa moustache. Tout le sang de Paul Dounat lui afflua au cœur d'un seul coup et il s'affaissa comme désarticulé sur un strapontin[1].

Le faux policier épongea sa calvitie[2] en forme de tonsure,
30 considéra son chapeau avec dégoût, et grommela :

– Sale boulot.

– Félix, vous avez beau détester les chapeaux melon, il faut tout de même le remettre, dit Gerbier distraitement.

– Je le sais bien, grommela Félix, mais seulement quand on
35 descendra.

Paul Dounat songea : « C'est alors qu'ils me tueront. »

Il formula cette pensée avec indifférence. Il n'avait plus peur. Le premier choc avait épuisé en lui tout sentiment vivant. Comme toujours, et du moment qu'il n'avait pas à choisir, il s'ac-
40 commodait du pire avec une docilité[3] et une facilité étranges. Il aurait voulu seulement boire quelque chose de fort. Ses veines lui semblaient toutes creuses.

– Regardez-le, dit Félix à Gerbier. C'est bien lui qui vous a vendu et qui a vendu Zéphyr et le radio●.

45 Gerbier approuva d'un léger mouvement de paupières. Il n'avait pas envie de parler. Il n'avait pas envie de réfléchir. Tout était rendu évident par l'attitude même de Paul Dounat : la

1. **Strapontin** : siège pliable, dans les véhicules ou salles de spectacle.
2. **Calvitie** : crâne chauve.
3. **Docilité** : obéissance.

● **Radio est un diminutif d'opérateur radiotélégraphiste, personne qui transmet des messages en alphabet morse au moyen d'ondes radioélectriques.**

trahison, et le mécanisme intérieur de cette trahison. Dounat avait été entraîné dans la résistance par sa maîtresse. Tant
50 qu'elle avait pu l'animer, Dounat s'était montré utile, intelligent et courageux. Françoise arrêtée, il avait continué d'agir par inertie[1]. Pris à son tour, mais relâché, très vite, il était devenu l'instrument de la police●.

« Nous aurions dû cesser de l'employer quand Françoise a
55 disparu, se dit Gerbier. C'est une faute. Mais on a si peu de monde et tant de missions à couvrir. »

Gerbier alluma une cigarette. À travers la fumée Dounat lui parut encore plus vague, encore plus inconsistant qu'à l'ordinaire. Bonne famille, bonnes manières... traits agréables... Un
60 petit grain de beauté situé au milieu de la lèvre supérieure attirait l'attention sur sa bouche qu'il avait belle et tendre. La figure était lisse, sans arêtes prononcées, et s'achevait par un menton de forme indécise, un peu gras.

« Paresse manifeste de la volonté, pensait distraitement
65 Gerbier. Il lui faut quelqu'un qui décide à sa place. Françoise, la police, et maintenant nous... Pour l'action, la délation[2], la mort. »

Gerbier dit à haute voix :

– Je crois, Paul, qu'il est inutile de vous donner nos preuves et de vous poser des questions.

70 Dounat ne releva même pas la tête. Gerbier continua de fumer. Il éprouvait cette sorte d'ennui qu'inspire une formalité fastidieuse[3] et nécessaire. Il se prit à songer à tout ce qu'il avait à faire après. Son rapport... expédier deux instructeurs... rédiger en

1. **Inertie** : mollesse.
2. **Délation** : dénonciation.
3. **Fastidieuse** : ennuyeuse.

● **Sous l'Occupation, la police d'État collabore avec les Allemands. En 1943, le gouvernement de Vichy crée la milice qui participe activement à la lutte contre la Résistance et à la répression des Juifs.**

chiffré[1] les messages pour Londres... le rendez-vous avec le grand
75 patron qui arrivait de Paris... choisir le P.C. pour le lendemain.

– On ne pourrait pas se dépêcher ? demanda Gerbier à Félix.

– Je ne crois pas, dit Félix. Le Bison connaît son métier comme personne. Il conduit le plus vite qu'on peut, sans se faire remarquer.

Dounat, son menton appuyé sur une main, regardait du côté
80 de la mer.

– Je suis pressé moi aussi, poursuivit Félix. J'ai ce vieux poste● à revoir. Je dois changer le guidon au vélo du petit agent de liaison. Et puis il y a la réception du parachutage cette nuit.

– Les nouveaux faux papiers ? demanda Gerbier.

85 – Je les ai sur moi, dit Félix. Je vous les donne tout de suite ?

Gerbier inclina la tête.

Paul Dounat comprenait parfaitement que si les deux hommes parlaient avec tant de liberté en sa présence, c'est qu'ils se sentaient assurés de son silence, de son silence éter-
90 nel. Leurs préoccupations rejoignaient déjà le moment – et ce moment était proche – où il serait effacé de l'ordre humain. Mais cette condamnation laissait Dounat sans anxiété, ni trouble. Pour lui également, sa mort était un fait acquis. Elle appartenait en quelque sorte au passé. Le présent seul avait une
95 valeur et un sens. Et maintenant que la voiture avait doublé la pointe du Vieux-Port, le présent était formé tout entier, et avec une intensité prodigieuse, par cette étendue d'eau bleue, ces îlots crénelés[2] comme des galères antiques, ces collines arides et pures, couleur de sable clair, qui semblaient supporter le ciel
100 de l'autre côté du golfe.

1. **En chiffré** : avec des chiffres, sous forme de message codé.
2. **Crénelés** : de la forme des créneaux.

● **Félix répare un poste de radio, moyen de communication essentiel des résistants de 1940 à 1944.**

Soudain, parce que la voiture passait devant un hôtel de la Corniche que Dounat reconnut, la figure de Françoise rassembla, absorba tous les traits épars[1] de cette magnificence. Françoise se tenait au bord de la terrasse qui surplombait la mer.
105 Elle avait une robe d'été qui lui laissait le cou et les bras nus. Elle portait la lumière et la chaleur du jour dans la matière généreuse de son visage. Dounat caressait d'un mouvement léger et familier la belle nuque de Françoise ; elle renversait un peu la tête, et Dounat voyait sa gorge, ses épaules, sa poitrine se gon-
110 fler, s'épanouir, comme ces plantes qui, d'un seul coup, mûrissent. Et Françoise l'embrassait sur le grain de beauté qu'il avait au milieu de la lèvre supérieure.

Sans en avoir conscience, Dounat toucha cette petite tache brune. Sans en avoir davantage conscience, Gerbier toucha la
115 moustache encore rêche qu'il portait depuis son évasion du camp de L...● Félix considérait son chapeau melon avec dégoût.

Un tournant de la route déroba l'hôtel au regard de Paul Dounat. L'image de Françoise à la tête renversée disparut. Dounat ne s'en étonna point. Ces jeux appartenaient à un autre
120 âge du monde. La vie souterraine, alors, n'avait pas commencé.

Chapitre 2 : L'exécution, p. 54 à 59.

Le Bison conduit Gerbier, Félix et leur prisonnier jusqu'à un pavillon isolé. Claude Lemasque, une recrue récente de la Résistance, les y attend. Il leur apprend que le pavillon voisin vient d'être loué. Le lieu n'est donc pas aussi tranquille qu'ils l'espéraient.

1. **Épars** : répandus et mêlés.

● **Le L désigne la ville de Limoges. La Vienne et la Haute-Vienne, au nord et au sud de la ligne de démarcation, comportent plusieurs camps d'internement pendant la guerre.**

L'exécution de Dounat

– Eh bien ? demanda Félix en sortant complètement son revolver.

– C'est impossible... c'est impossible... dit Lemasque. Je suis ici avant vous. On entend tout... Tenez...

5 Dans le pavillon voisin une petite fille commença de chanter une mélodie grêle[1] et monotone. La chanson parut s'élever de la chambre même.

– Ce ne sont pas des murs, mais du papier à cigarettes, dit Lemasque avec fureur.

10 Félix remit son revolver dans sa poche, et jura.

– Ces sacrés Anglais ne nous enverront donc jamais les silencieux[2] qu'on leur demande.

– Venez avec moi, dit Gerbier. Nous allons voir s'il n'y a pas un coin plus propice.

15 Gerbier et Félix quittèrent la pièce. Lemasque se plaça vivement devant la porte comme si Dounat avait voulu s'enfuir. Mais Dounat ne fit aucun mouvement.

Rien ne se passait comme Lemasque l'avait cru. Il s'était préparé avec une exaltation[3] profonde à un acte terrible, mais 20 plein de solennité. Trois hommes siégeaient : un chef de l'organisation, Félix, lui-même. Devant eux le traître défendait sa vie par des mensonges, par des cris désespérés. On le confondait. Et Lemasque le tuait, fier de trouer un cœur criminel. Au lieu

1. **Grêle** : faible.
2. **Silencieux** : revolver muni d'un dispositif pour diminuer le bruit de la détonation.
3. **Exaltation** : émotion intense.

de cette justice farouche... une chanson de petite fille, les pas
25 de ses complices qui résonnaient à l'étage supérieur et devant lui cet homme aux cheveux châtain clair, jeune, de figure triste et docile, avec son grain de beauté au milieu de la lèvre et qui regardait obstinément un couvre-pieds rouge.

En vérité, Dounat ne voyait plus d'édredon. Ce qu'il voyait
30 maintenant, c'était Françoise nue, au milieu de policiers qui la tourmentaient. Dounat s'appuyait de plus en plus contre le mur. Il se sentait près de l'évanouissement. Mais il n'y avait pas seulement de l'épouvante au fond de sa faiblesse.

La petite fille continuait de chanter. Sa voix inégale et fragile
35 répandait dans les nerfs de Lemasque une anxiété insupportable.

– Comment avez-vous pu ? demanda-t-il soudain à Paul Dounat.

Celui-ci releva machinalement la tête. Lemasque ne pouvait deviner la nature des images qui faisaient à Dounat ces yeux
40 humbles[1], honteux et troubles. Mais il y vit une telle misère humaine qu'il eut envie de crier.

Gerbier et Félix reparurent.

– Rien à faire, dit le dernier. La cave communique avec la cave voisine et le grenier est encore plus sonore qu'ici.

45 – Il faut pourtant faire quelque chose, il le faut, murmura Lemasque dont les mains maigres commençaient à s'agiter d'impatience. Félix serra les poings et dit :

– Il faudrait un couteau solide. Le Bison en a toujours un sur lui.

50 – Un couteau ? murmura Lemasque. Un couteau... Tu n'y penses pas sérieusement.

1. **Humbles** : modestes.

La figure ronde et franche de Félix devint très rouge.

– Est-ce que tu crois que c'est pour le plaisir, imbécile ? dit Félix d'un ton presque menaçant.

55 – Si tu essaies, je t'en empêche, chuchota Lemasque.

– Et moi je vais te casser les dents, dit Félix.

Gerbier sourit, de son demi-sourire.

– Regardez dans la salle à manger et dans la cuisine si vous trouvez quelque chose qui puisse servir, dit-il à Félix.

60 Lemasque s'approcha fébrilement[1] de Gerbier et lui dit à l'oreille :

– C'est impossible, réfléchissez, je vous en supplie. C'est un assassinat.

– De toute façon, nous sommes ici pour tuer, dit Gerbier.
65 Vous êtes d'accord ?

– Je... Je suis d'accord... balbutia[2] Lemasque. Mais pas comme cela.... Il faut...

– La manière, je sais, je sais, dit Gerbier.

Lemasque n'était pas habitué à ce demi-sourire.

70 – Je n'ai pas peur, je vous jure, dit-il.

– Je sais, je sais bien... C'est tout à fait autre chose, dit Gerbier.

– Je fais cela pour la première fois, vous comprenez, reprit Lemasque.

– Pour nous aussi, c'est la première fois, dit Gerbier. Je pense
75 que cela se voit.

Il regarda Paul Dounat qui s'était un peu redressé. Sa faiblesse avait disparu et l'image de Françoise. Le dernier âge du monde était arrivé.

1. **Fébrilement** : nerveusement.
2. **Balbutia** : bafouilla, bégaya.

La porte s'ouvrit.

80 – Saleté de maison, dit Félix, les mains vides.

Il avait l'air très fatigué et ses yeux allaient de tous côtés à travers la pièce, mais en évitant l'endroit où se trouvait Dounat.

– J'ai pensé, reprit sourdement Félix, j'ai pensé que peut-être en le laissant ici jusqu'à la nuit, jusqu'à l'arrivée du Bison, on 85 ferait mieux.

– Non, dit Gerbier, nous sommes tous très occupés, et puis je veux rendre compte au patron que l'affaire est terminée.

– Nom de Dieu de nom de Dieu, on ne peut tout de même pas lui défoncer le crâne à coups de crosse, dit Félix.

90 Paul Dounat fit à cet instant son premier mouvement spontané. Il battit faiblement des bras, et plaça ses paumes ouvertes devant son visage. Gerbier comprit à quel point Dounat redoutait la souffrance physique.

« Beaucoup plus que la mort », pensa Gerbier. « C'est par là 95 que les policiers l'ont obligé à trahir. »

Gerbier dit à Félix :

– Mettez-lui un bâillon.

Quand Félix eut enfoncé son épais mouchoir à carreaux dans la bouche de Dounat et que Dounat fut tombé sur le matelas, 100 Gerbier dit nettement.

– L'étrangler.

– Avec... les mains ?... demanda Félix.

– Non, dit Gerbier, il y a un torchon dans la cuisine, qui fera très bien.

105 Lemasque se mit à marcher à travers la chambre. Il ne s'apercevait pas qu'il tirait si fort sur ses doigts que les jointures craquaient. Soudain il se boucha les oreilles. La petite fille dans la maison voisine recommençait à chanter. Son visage avait une

telle expression que Gerbier eut peur de le voir céder à une
110 crise de nerfs. Il vint à Lemasque et lui rabattit brutalement les poignets.

– Pas d'histoires, je vous prie, dit Gerbier. Il faut que Dounat meure. Vous êtes venu pour cela et vous nous aiderez. Un de nos radios a été fusillé par sa faute. Un camarade crève en
115 Allemagne, cela ne vous suffit pas ?

Le jeune homme voulut parler. Gerbier ne lui en laissa pas le loisir.

– Vous êtes employé à la Mairie, je sais et aussi officier de réserve●. Et votre métier n'est pas d'étouffer un homme sans
120 défense. Mais Félix est garagiste et je suis ingénieur. Seulement en vérité, vous et Félix et moi nous ne sommes plus rien que des hommes de la résistance. Et cela change tout. Auriez-vous pensé, avant, que vous alliez fabriquer avec joie de faux cachets, de faux tampons, de faux documents, que vous seriez fier d'être
125 faussaire ? Vous avez demandé à faire quelque chose de plus difficile. Vous êtes servi. Ne vous plaignez pas.

Chapitre 2 : L'exécution, p. 65 à 70.

Gerbier et ses hommes exécutent Dounat puis Félix part pour Nice. Là, il recrute un ami, Jean-François, à qui il confie de dangereuses missions comme le transport d'objets illicites. Au cours de l'une d'elle, Jean-François se rend à Paris, ce qui lui donne l'occasion de revoir son frère, Luc, qu'il n'a pas vu depuis deux ans.

● **Il s'agit d'un officier qui n'appartient pas à l'armée active mais qui peut être rappelé en cas de conflit. Lemasque, en choisissant la Résistance, trahit donc son corps de métier puisqu'il devrait obéir aux ordres du nouveau gouvernement formé par Pétain.**

LES RISQUES DU MÉTIER

Tandis que Jean-François déjeunait avec son frère avenue de la Muette●, Gerbier, à Lyon, recevait Félix. Leur entretien eut lieu dans une agence de théâtre. Le directeur avait prêté un de ses bureaux à Gerbier qui pouvait ainsi faire défiler les personnages les plus variés et de l'aspect le plus étrange sans attirer l'attention.

Les gens qui connaissaient le mieux Gerbier et Félix n'auraient pu découvrir la plus légère altération[1] dans leurs rapports. Mais eux, depuis qu'ils avaient exécuté Paul Dounat, ils ne se sentaient pas tout à fait naturels quand ils se trouvaient seuls. C'est pourquoi ils parlaient un peu plus vite et sur un ton un peu plus tendu qu'ils ne le faisaient auparavant.

– Je vous ai fait venir parce qu'il y a une urgence, dit Gerbier. On a perquisitionné[2] chez notre ami le docteur, dans le secteur sud-ouest. Toute la maison de repos a été fouillée. Par chance, il n'abritait ce jour-là personne de chez nous. Il s'en est tiré, mais l'endroit est brûlé[3].

– Je vois, je vois, dit Félix.

– Combien de monde en tout avez-vous à embarquer pour Gibraltar ? demande Gerbier.

1. **Altération** : modification.
2. **Perquisitionné** : fouillé par la police.
3. **Brûlé** : être brûlé est à la voix passive. Ce sens imagé signifie être démasqué.

● **Luc, le frère de Jean-François, habite vers la station de métro La Muette, à Paris, dans le XVIe arrondissement.**

– Eh bien les deux officiers canadiens des commandos de Dieppe, vous le savez, et puis trois nouveaux gars de la R.A.F.[1] tombés en parachute et deux Belges, en plus, des condamnés à mort par les Boches[2].

25 – Et il y a encore un radio de chez nous qui va faire un stage en Angleterre, et aussi une jeune fille, dit Gerbier. Cela fait huit. Où vont-ils attendre le sous-marin ?

– Nom de Dieu ! dit Félix, la maison du docteur était si commode. Encore un mouchardage de S.O.L.● ou d'un homme de 30 main à Doriot●. Je les...

Félix serra les poings, mais n'acheva pas. Son regard avait croisé le regard de Gerbier. Et ils s'étaient souvenus de Dounat.

– La question n'est pas là pour l'instant, dit rapidement Gerbier. Où allons-nous les mettre ?

35 – On ne peut pas les laisser dans la nature par petits paquets ? demanda Félix.

– Non, dit Gerbier. Déjà ils font des bêtises. Le colonel canadien va au café. Il croit qu'il parle français sans accent, et tout le monde sait à quoi s'en tenir. La population du village est sûre, y 40 compris les gendarmes. Mais il suffit d'un bavard.

– Ou d'un ivrogne, dit Félix.

– Et puis le sous-marin revient d'opérations, poursuivit Gerbier. On nous signalera son passage seulement la veille du départ. Il faut que tout le monde soit réuni à proximité.

1. **RAF** : abréviation de *Royal Air Force* en Anglais. Ce sont les soldats de l'armée de l'air britannique.
2. **Boches** : terme péjoratif qui désignait les Allemands pendant la guerre.

● **Le S.O.L. ou Service d'ordre de la Légion apparaît en janvier 1942 et regroupe des membres de la LFC (Légion française des combattants) soucieux de promouvoir le régime de Vichy et de lutter contre ses opposants. Il sera remplacé par la milice.**

● **Jacques Doriot, homme politique français, collabore avec les Allemands sous l'Occupation.**

45 Félix frotta lentement sa calvitie jusqu'à ce que la tonsure devînt rouge.

– J'ai beau chercher, mais, à part le docteur, nous n'avons personne sur cette côte, dit Félix.

– Alors, il faut une reconnaissance dans la région et trouver 50 une propriété, une auberge, une usine qui reçoive nos gens, dit Gerbier. Avant quarante-huit heures !

– C'est chanceux[1], dit Félix.

– Je le sais bien, dit Gerbier.

Il pensait aux télégrammes qu'il recevait parfois de Londres 55 et dans lesquels les états-majors lui exprimaient leur étonnement des retards et des imprudences de l'organisation. Et il ajouta avec une certaine âpreté[2] :

– Nous ne sommes pas une compagnie d'assurance tous risques.

– Dans les conditions où l'on travaille, ça serait plutôt le 60 contraire, dit Félix.

– Tout dépend de l'homme que vous choisirez pour cette mission, reprit Gerbier. Pas besoin d'un organisateur ou d'une grande intelligence. Il faut de la résolution, et surtout le coup d'œil juste et rapide, qui reconnaisse les gens à qui l'on peut se 65 fier. C'est une question d'instinct.

– Je vois, je vois, dit Félix... Et j'ai un gars sur mesure. Mon copain du corps franc[3]. Vous ne l'avez jamais vu, mais vous savez de qui je cause. Il a un flair de chien de chasse. Seulement il est à Paris. Il a dû livrer un nouveau poste[4] à Dubois ce matin.

70 – Et il rentre ? demanda Gerbier.

1. **Chanceux** : incertain.
2. **Âpreté** : dureté.
3. **Corps franc** : pendant la guerre, troupe composée de volontaires qui n'appartenaient pas à l'armée régulière.
4. **Poste** : poste de radiotélégraphie.

– Dans trois jours, dit Félix.

– Pourquoi ?

– Il a un frère qu'il n'a pas vu depuis la guerre... Je ne savais pas qu'on aurait besoin de lui si vite, dit Félix.

– Oh ! ces histoires de famille... dit Gerbier entre ses dents.

– C'est pour moi, cette remarque ? demanda Félix.

Sa voix était contenue, mais si agressive que Gerbier s'interdit de répondre. Les yeux de Félix brillaient d'insomnie, les bords de ses paupières étaient rouges et sa figure ronde avait une couleur terreuse.

« Il ne dort pas assez, il a les nerfs malades », pensa Gerbier. « Mais personne chez nous ne dort assez. »

Félix, voyant que Gerbier se taisait, reprit avec la même violence intérieure :

– Si le reproche sur la famille s'adresse à moi, c'est un peu fort.

Dans le premier instant Gerbier ne comprit pas. Puis il se souvint et demanda :

– Comment va le petit garçon ?

– Pas bien, dit Félix. Le docteur lui a trouvé des ganglions au poumon...

– Il faut l'envoyer à la campagne, dit Gerbier.

– Avec quoi ? demanda Félix. Vous pensez bien que tout le temps en route comme je suis ou occupé sur place à mille choses, je n'ai plus une minute pour gagner des sous. On mange tout juste et encore parce que ma femme fait des ménages. Et elle avait sa fierté, ma femme. Alors elle me traite d'incapable, de fainéant. Et qu'est-ce que je peux lui dire ? Et le gosse traîne tout seul dans l'atelier humide.

– Vous ne m'avez jamais parlé de cela, dit Gerbier. Nous avons des fonds...

– Oh ! je vous en prie, Monsieur Gerbier, dit Félix... Est-ce que j'ai une gueule à mendier, par hasard ?

Gerbier rayait distraitement du bout de l'ongle le bois du bureau derrière lequel il était assis. En ce moment Félix le garagiste lui rappelait Roger Legrain, le petit électricien tuberculeux du camp de L... La même dignité... Le même sens de l'honneur... Le silence de Gerbier, maintenant, gênait beaucoup Félix.

– Ce n'est pas pour me plaindre que je vous ai dit tout ça, murmura Félix. Je ne sais pas ce qui m'a pris... Quand vous avez

Conversation entre Gerbier (Lino Ventura) et Félix (Paul Crauchet) dans le film adapté du roman par Jean-Pierre Melville en 1969.

parlé de la famille tout à l'heure, j'ai pensé que vous, eh bien, vous étiez seul, vous ne teniez à personne. C'est une chance dans le travail qu'on fait.

Gerbier continuait à rayer la table du bout de l'ongle. Il ne
115 tenait à personne... c'était vrai. Il avait failli s'attacher à Legrain. Mais Legrain avait refusé l'évasion... C'était une chance...

– Alors que faisons-nous pour cette mission de reconnaissance ? demanda brusquement Gerbier.

– J'irai moi-même, dit Félix.

120 Gerbier considéra les paupières enflammées de Félix, la teinte malsaine de ses joues.

– Vous avez besoin d'une bonne nuit, dit Gerbier.

– Ce n'est pas la question, dit Félix. Mais j'avais juré à ma femme et au gosse de les conduire au cinéma, demain dimanche.

125 Félix put cependant tenir cette promesse. Il retrouva Jean-François dans le train rapide Paris-Nice.

Chapitre 3 : L'embarquement pour Gibraltar, p. 85 à 90.

En attendant le signal de leur départ, Jean-François cache les clandestins chez une vieille fermière qui les reçoit généreusement. Il est aussi chargé de conduire le grand patron à un sous-marin à destination de Londres. Dans la barque, il découvre avec stupeur que le grand patron n'est autre que son propre frère, surnommé Saint-Luc, qu'il croyait peureux et casanier.

Parvenu à Londres, Luc, suivi peu après par Gerbier, rencontre d'autres résistants français lors d'un dîner mondain.

Mathilde, une résistante

La maîtresse de maison se tenait très droite au milieu de la table. Sa tête, petite et fine, émergeait d'une collerette d'organdi[1] noir. Cette couleur et cette matière donnaient plus d'éclat à la brillante blancheur de ses cheveux. Les yeux étaient encore
5 d'une vivacité extrême. Nous● étions placés trop loin pour bien entendre ses propos, mais les inflexions des lèvres étaient pleines d'intelligence, de volonté et d'esprit.

– Les femmes sont des êtres merveilleux, dit mon voisin●.

Et comme si je m'étais, cette fois encore, mépris[2] sur le sens
10 de son ardeur, il ajouta d'un air mi-plaisant, mi-coupable :

– Vous savez, c'est en dehors de toute crème au chocolat... Il me souvient d'une personne qui s'appelait Mathilde et qui avait pour mari un clerc d'huissier[3]. Je ne l'ai pas connue, mais j'ai souvent entendu parler d'elle par une étudiante de mes amies.
15 (« C'est sûrement un professeur », pensai-je.)

« La distraction préférée de cette étudiante, quand elle voyageait en métro, était de mettre des tracts contre l'Allemagne dans les poches des officiers et des soldats allemands. Elle habitait sur le même palier que Mathilde, dans un immeuble caserne[4]
20 à loyers modérés, construit par la Ville de Paris pour la toute petite bourgeoisie. Mais tandis que l'étudiante occupait une

1. **Collerette d'organdi** : tour de cou plissé en coton, fin et apprêté.
2. **Mépris** : trompé.
3. **Clerc d'huissier** : employé dans l'étude d'un huissier.
4. **Immeuble caserne** : immeuble qui loge la gendarmerie ou les pompiers.

● **Au cours du récit, Kessel change de narrateur. Ici, la scène se passe à Londres, lors d'une soirée, le narrateur est un vieil ami de Gerbier.**

● **Le narrateur ignore que son voisin de table est Luc, le grand patron.**

garçonnière[1] avec insouciance et une parfaite liberté sexuelle, le clerc d'huissier, sa femme et leurs sept enfants étouffaient dans un logement de trois pièces. Mathilde était jaune, sèche, exténuée par ses obligations domestiques[2] et, peut-être à cause de cela, d'une vertu[3] très agressive. De plus mon amie était anarchisante[4] et Mathilde, à l'exemple de son mari, fanatique de l'*Action Française*●. Bref, elles se haïssaient comme seules deux femmes savent le faire.

« Un jour, et uniquement par moquerie, l'étudiante glissa un tract dans le manteau de Mathilde. Mais l'épouse du clerc d'huissier avait l'œil plus vigilant que les soldats d'occupation. Vous comprenez, elle passait sa vie à veiller sur ses enfants, sur son gaz et à ce qu'on ne la volât point. Elle saisit le poignet de l'étudiante et lut le feuillet.

« Enfin, je tiens quelqu'un parmi eux, merci, mon Dieu ! » dit Mathilde.

« La scène se passait dans l'escalier de la maison. « Montons chez vous », ordonna Mathilde. Mon amie voulait à tout prix éviter un incident public. Elle obéit.

« Dans la garçonnière le lit était défait. Des boîtes de maquillage, des ustensiles de toilette très personnels, des bouteilles vides traînaient. Mathilde eut un mouvement de recul. Elle murmura : « Jamais je n'aurais cru... » Mais le dégoût qui allongeait sa longue figure fit place tout à coup à une expression de prière. Elle emprisonna les mains de la jeune fille dans ses

1. **Garçonnière** : terme vieilli qui désigne le petit appartement d'un célibataire.
2. **Domestiques** : du ménage et de la maison.
3. **Vertu** : sens moral.
4. **Anarchisante** : favorable à l'anarchie, c'est-à-dire à un gouvernement n'ayant pas une réelle autorité sur l'État.

● **Ce journal, qui soutient la politique menée par le maréchal Pétain, disparaîtra à la fin de la guerre.**

deux fortes mains de ménagère et dit : « Mademoiselle, il faut que vous m'aidiez. » « Vous aider ? » répéta l'étudiante sans comprendre. « Contre les Boches » dit Mathilde. Et brusque-
50 ment cette femme taciturne[1] et rigide[2] à l'extrême, cette femme qui semblait aussi desséchée dans ses sentiments que dans ses traits et son corps, cette femme fut prise d'un véritable accès de passion. Elle raconta la faim de ses enfants, les queues inutiles, la torture des hivers sans charbon, la congestion pulmonaire de
55 son mari, la chasse aux vêtements, aux souliers introuvables. Aucune de ses paroles n'avait le ton de la plainte. Elles exprimaient une révolte enragée contre les Allemands. Le seul désespoir de Mathilde était de rester inactive. Mais que faire ? Elle ne connaissait personne dans les milieux de la résistance. Son
60 mari (un pauvre homme, elle s'en était aperçue) croyait encore au maréchal. « Je veux travailler à la perte des Boches, termina Mathilde. Rien ne me sera difficile, ou pénible, ou dangereux. Je veux aider à faire crever les Boches. » Pas une fois, au cours de cette crise, Mathilde n'avait élevé la voix. Mais la violence
65 des propos, le frémissement des minces lèvres et des joues cireuses[3], l'éclat presque insoutenable d'un regard à l'ordinaire prudent et éteint agirent davantage sur mon amie, que ne l'eussent fait des cris. « Vous travaillerez dans mon circuit à diffuser nos imprimés[4], dit-elle. Vous ne saurez rien d'autre et vous ne pren-
70 drez les ordres que de moi. » Je pense qu'entendant le nom du journal et regardant une dernière fois le désordre indécent de la chambre, Mathilde dut livrer une lutte obscure contre sa

1. **Taciturne** : silencieuse, qui parle peu.
2. **Rigide** : stricte, sévère.
3. **Cireuses** : jaunâtres comme de la cire.
4. **Imprimés** : journaux et tracts.

conscience. Mais elle accepta. On lui confia d'abord un bout de rue, puis la rue entière, puis tout un arrondissement. C'était un
75 travail immense qu'elle accomplissait avec une méthode et un soin du détail sans bavure[1]. Elle ne discutait pas. Elle avait toujours le temps, pour tout. Elle n'était jamais lasse. Elle allait aux queues plus tôt. Elle reprisait les vêtements et le linge plus tard. Cela ne regardait personne. Son mari ne savait rien.

80 « Parfois, quand elle entrait de bonne heure chez sa voisine de palier, pour recevoir des instructions, elle trouvait un passant dans le lit de l'étudiante. « Un camarade de combat », disait celle-ci. Mathilde souriait d'un sourire sans expression, écoutait les ordres et s'en allait. Elle avait encore maigri mais elle
85 ne portait plus sur son visage d'hostilité contre l'existence. Elle était surtout heureuse lorsqu'il fallait ajouter des explosifs aux liasses épaisses de feuilles imprimées. Et savez-vous comment elle s'y prenait pour leur faire traverser Paris ? Elle mettait les journaux et à l'occasion les cartouches de dynamite au fond de
90 la petite voiture[2] qui servait à son dernier-né, un bébé de dix-huit mois. Deux de ses fillettes un peu plus grandes l'accompagnaient. Elles étaient enveloppées d'exemplaires de presse clandestine sous leurs pèlerines[3]. Qui eût soupçonné cette femme à figure creuse, sérieuse, faisant prendre l'air à des enfants
95 sous-alimentés ? »

Chapitre 4 : Ces gens-là sont merveilleux, p. 111 à 115.

Luc et Gerbier restent quelque temps à Londres puis chacun rentre en France.

1. **Sans bavure :** sans erreur.
2. **Petite voiture :** landau.
3. **Pèlerines :** manteaux sans manches mais avec une capuche.

Le retour de Londres

Rentré hier d'Angleterre. Au moment de plonger de l'avion dans la nuit noire, je me suis souvenu de J. Il avait fait un saut malheureux et s'était cassé les deux jambes. Il a enterré tout de même son parachute et s'est traîné pendant cinq à six kilomètres jusqu'à la première ferme où il a été recueilli. Chez moi, arrêt du cœur assez aigu[1] quand le pilote m'a fait signe. Peur pour rien. Pas de vent. Tombé en terrain labouré. Enterré parachute. Connaissant la région, trouvé sans difficulté la petite gare d'intérêt local.

Des paysans, des artisans, des cheminots[2] attendaient le premier train. D'abord conversation habituelle : nourriture, nourriture, nourriture. Marchés plus rares, réquisitions devenues intolérables, pas de chauffage. Mais aussi du nouveau : les déportations. Pas une famille, disaient-ils, qui ne fût touchée ou sur le point de l'être. Ils envisageaient les moyens de soustraire leurs fils, leurs neveux, leurs cousins, à ce départ. Atmosphère de bagne. Révolte d'enchaînés. Haine organique[3]. Ils ont discuté également les nouvelles de la guerre. Ceux qui avaient un appareil de radio donnaient aux autres le détail des émissions de Londres. J'ai pensé que j'avais parlé à la B.B.C.[4] pour les ingénieurs français deux jours auparavant.

1. **Aigu** : douloureux.
2. **Cheminots** : employés des chemins de fer.
3. **Organique** : qui vient des organes, du fond du cœur.
4. **B.B.C** : radio britannique.

Après son voyage à Londres, Gerbier rentre en France. Il commente ce qu'il lui arrive.

Le bagne est le lieu où les condamnés aux travaux forcés exécutaient leur peine.

Quitté le train à la petite ville de C. Je ne voulais pas rejoindre directement notre Q.G.[1] de la zone sud. Les derniers télégrammes envoyés à Londres étaient inquiétants. Me suis rendu chez un
25 architecte de nos amis. Il m'a reçu comme on reçoit un fantôme. « Tu viens d'Angleterre, tu viens d'Angleterre », disait-il sans arrêt. Il avait reconnu ma voix à la radio. Je ne savais pas qu'elle était si caractéristique. J'ai fait là une imprudence assez stupide et assez grave. Les indiscrétions n'ont pas tant la malveillance[2],
30 le penchant aux bavardages ou même la bêtise pour source que l'admiration. Nos gens sont pour la plupart exaltés[3]. Ils aiment à grandir, à sublimer les camarades et surtout les chefs. Cela les soutient, les enflamme, et donne de la poésie à leur monotone petit travail de chaque jour. « Tu sais, X... a fait quelque chose de
35 magnifique », dit l'un, renseigné, à un autre. Et celui-ci a besoin de partager son enthousiasme avec un troisième. Ainsi de suite. Et l'histoire arrive aux oreilles d'un mouchard. Il n'y a rien de si redoutable que cette générosité des sentiments.

Or, parce que j'ai été à Londres, je risque de devenir un objet
40 de culte. Je l'ai vu à la façon dont m'a traité l'architecte. C'est un homme de caractère et d'esprit pondérés[4]. Il me regardait pourtant comme si j'étais un être un peu miraculeux. Que je sois revenu ne l'étonnait pas trop. Mais le fait que j'ai passé quelques semaines à Londres, que j'ai respiré l'air de Londres,
45 que j'ai fréquenté les gens de Londres, le bouleversait. Il considérait ces vacances, ces jours de confort et de sécurité, comme un acte du mérite le plus rare. L'explication d'une attitude, en

1. **Q.G.** : abréviation de quartier général.
2. **Malveillance** : méchanceté.
3. **Exaltés** : passionnés.
4. **Pondérés** : modérés.

apparence aussi absurde, est assez simple. Quand tout semblait perdu, l'Angleterre a été le seul foyer d'espérance et de chaleur. 50 C'était pour des millions d'Européens dans la nuit, le feu de la foi. Et tous ceux qui ont approché et approchent encore ce feu y prennent un reflet merveilleux. Chez les musulmans, le pèlerin qui s'est rendu à La Mecque porte le titre de Hadj, et un turban vert. Je suis un Hadj●. J'ai droit au turban vert de l'Europe 55 asservie[1]. Cela me paraît assez risible, parce que je n'ai pas le moindre sens du religieux. Mais aussi parce que, moi, je reviens de Londres. Là-bas, le point de vue est entièrement renversé.

Là-bas, c'est vivre en France qui parait admirable. La faim, le froid, les privations, les persécutions dont nous avons pris l'habitude 60 par force, touchent là-bas l'imagination et la sensibilité à un point extrême. Quant aux gens de la résistance, ils suscitent une émotion presque mystique[2]. On sent déjà se former la légende. Si je disais cela ici, je ferais hausser les épaules. Jamais une femme qui rechigne des heures entières dans les queues, 65 pleure d'impuissance en voyant ses enfants s'anémier●, maudit le gouvernement et l'ennemi qui lui enlèvent son mari pour l'envoyer en Allemagne, fait des bassesses auprès du crémier et du boucher pour avoir une goutte de lait ou un gramme de viande, jamais cette femme ne croira qu'elle est un être excep-

1. **Asservie** : réduite à l'esclavage.
2. **Mystique** : religieuse.

● **Gerbier compare Londres à La Mecque, en Arabie saoudite, ville sainte et sacrée pour les musulmans. Il développe ensuite cette métaphore* en se comparant à un Hadj, c'est-à-dire un croyant qui a fait le pèlerinage à La Mecque. Sa venue à Londres devient un acte de foi pour la Résistance et la liberté.**

● **Souffrir d'anémie : être pâle et fatigué par manque de globules rouges. Sous l'Occupation, l'anémie était fréquente à cause des carences alimentaires subies par la population.**

70 tionnel. Et jamais le garçon qui, chaque semaine, transporte une vieille valise pleine de nos journaux clandestins, l'opérateur qui pianote nos messages de radio, la jeune fille qui tape mes rapports, le curé qui soigne nos blessés, et surtout Félix, et surtout le Bison, jamais ces gens ne croiront qu'ils sont des héros,
75 et je ne le crois pas davantage.

Les opinions subjectives[1] et les sentiments n'ont aucune valeur. La vérité est seulement dans les faits. Je veux, quand j'en aurai le loisir, tenir note quelque temps des faits que peut connaître un homme placé par les événements à un bon poste
80 d'écoute de la résistance. Plus tard, avec le recul, ces détails accumulés feront une somme et me permettront de former un jugement.

Si je survis.

Chapitre 5 : Notes de Philippe Gerbier, p. 122 à 125.

Gerbier et ses compagnons poursuivent leurs actions tandis que la Gestapo et la police emprisonnent et exécutent toute personne soupçonnée de résistance. Félix, capturé, a réussi à s'enfuir mais il ne pourra plus revoir sa famille. C'est aussi le cas de Mathilde qui a appris l'art de se déguiser après un séjour en prison.

1. **Subjectives** : personnelles.

La clandestinité

Mathilde a trouvé une mansarde[1] chez une couturière à la journée. Elle a dit qu'elle était infirmière. Elle aura ses papiers demain. Elle va diriger un de nos● groupes de combat.

- : -

Je suis toujours chez le juge d'instruction. Il n'est rien dans l'organisation qu'un ami prêt à rendre service. Mais un ami sûr. Il vient d'instruire une affaire gaulliste, où quatre des nôtres sont inculpés. L'un des quatre, arrêté, a fait des aveux qui ont mené les trois autres en cellule. Le juge a su convaincre le dénonciateur de revenir sur ses déclarations et de les mettre uniquement au compte des brutalités de la police (qui sont réelles). Le juge lui a dit : « Mes conclusions vous assureront la peine la plus légère. »

En vérité, il a tout fait pour que le dénonciateur reste enfermé le plus longtemps possible. Nous ne disposons pas de prisons. C'est une chance que de pouvoir employer parfois à notre bénéfice celles de Vichy.

Chaque soir, le juge me racontait les progrès de l'affaire. Les trois camarades sauront comment ils ont été libérés, seulement après la guerre...

S'ils survivent et si je survis.

- : -

1. **Mansarde** : pièce aménagée sous les toits.

● **Il s'agit toujours du journal de Gerbier. C'est donc lui le narrateur.**

Le patron est à Paris.

Je lui ai fait tenir, par Jean-François, un long courrier verbal. Jean-François est revenu. Le patron est d'accord, pour que Félix, Lemasque et Jean-François s'occupent du maquis• sur place. Le
25 patron approuve le poste que j'ai confié à Mathilde.

- : -

En allant sur Paris, Jean-François portait une valise de tracts. Il avait mis également dans cette valise un jambon. Il a pitié de son frère. En effet, le patron meurt de faim... Dans la rue, Jean-François a été agrippé par un garde mobile, et a dû ouvrir
30 sa valise. Le garde a bien examiné le contenu. Il avait un visage très dur. Jean-François se préparait à le jeter à terre et fuir. Mais le garde lui a dit seulement : « Vous ne devriez pas mélanger le marché noir avec le travail contre les Boches. Ce n'est pas propre. » Quand Jean-François a raconté l'histoire à son frère, le
35 patron a été très ému par elle. Beaucoup plus que par les aventures où tant des nôtres laissent leur vie.

- : -

La Gestapo dispose de sommes énormes pour ses indicateurs. Nous connaissons une petite ville de 10 000 habitants, où le budget de la Gestapo est d'un million de francs par mois.
40 Avec cela, elle a pu acheter quatre salauds bien repérés. On pourrait les liquider assez facilement. Mais je pense qu'il vaut mieux les conserver jusqu'au règlement final. Les traîtres dont on connaît les visages sont moins dangereux.

Nous avons des amis partout chez l'ennemi. Et je me demande
45 même si l'ennemi se doute à quel point ils sont nombreux,

• **Zone isolée dans les montagnes ou dans les bois où se réfugièrent des résistants pour échapper à l'occupant et y organiser la lutte clandestine sous l'Occupation.**

actifs et bien distribués. Je ne parle même pas des organismes de Vichy. Il n'y a pas une sous-préfecture, une mairie, une gendarmerie, un office de ravitaillement, une prison, un commissariat, un bureau de ministre où les nôtres ne soient pas installés. Chaque fois qu'un de nos camarades risque d'être livré à la Gestapo, Laval● en personne trouve sur son bureau une note l'avertissant qu'il est comptable[1] vis-à-vis de notre camarade.

Pour Vichy, la chose n'est pas difficile. Mais chez les Allemands eux-mêmes, nous avons nos entrées.

- : -

Le Bison est toujours parfait. Mathilde lui a demandé quatre uniformes allemands. Le Bison les a eus.

Cela veut dire à coup sûr la mort de quatre soldats allemands. Nous ne saurons jamais comment le Bison a fait. Il a le silence des hommes de la Légion.

Mathilde l'étonne et lui en impose. Il dit d'elle : « C'est quelqu'un. »

- : -

Déménagé. Appartement sous un cinquième faux nom. Papiers : officier de coloniale à la retraite. Piqûres contre le paludisme● : Mathilde, en infirmière, vient me les administrer.

- : -

1. **Comptable** : il devra rendre des comptes.

● **Pierre Laval est ministre d'État du maréchal Pétain et vice-président du Conseil, il collabore activement avec les nazis : traque des Juifs et des résistants, création du STO, de la milice, coopération de la police française avec les Allemands. À la libération, il sera fusillé après son procès.**

● **Gerbier se fait passer pour un officier d'une des colonies françaises. Il feint d'être atteint par le paludisme, maladie transmise par la piqûre de moustiques des zones chaudes et marécageuses, pour communiquer avec ses hommes.**

Mathilde, interprétée par Simone Signoret, dans le film de Jean-Pierre Melville.

65 L..., des services du général de Gaulle, arrive de Londres. Cela fait son cinquième voyage. Il avait eu beaucoup de travail avant son départ. Deux nuits sans sommeil. Avion. Parachute. Douze kilomètres à pied. Le train au petit matin. S'endort. Sa tête portant violemment contre son voisin, il se réveille. Il se 70 croit encore en Angleterre. Il dit : « Oh ! I am so-sorry. » Il se frotte les yeux, son voisin était un officier allemand. Pas eu de conséquences fâcheuses.

- : -

À son dernier départ pour Londres, L... a emmené sa famille avec lui. Il fallait qu'elle fût à l'abri. Cette famille comprenait sa 75 femme, ses deux petites filles (6 ans, 4 ans) et un petit garçon de 18 mois. Voici le récit de L... :

« Je m'étais arrangé avec un pêcheur qui voulait gagner l'Angleterre. Il a truqué son bateau. Le matin, avant de nous rendre à bord, j'ai réveillé mes filles. Il faisait encore nuit. Je
80 leur ai recommandé le silence et de faire leur prière avec plus d'attention et de foi que de coutume. Puis je leur ai dit que nous allions faire un voyage en mer très dangereux et que nous pouvions ne plus nous revoir si Dieu n'était pas avec nous. Le bateau était ancré dans une petite rivière. Nous nous sommes glissés
85 dans notre cachette et nous sommes partis. À l'estuaire[1], visite des douaniers allemands. J'entendais leurs bottes et j'avais l'impression qu'elles marchaient contre mon cœur. J'étais couché sur le dos et je tenais dans mes bras le bébé. S'il avait poussé un cri, un gémissement, nous étions perdus. Je lui parlais à l'oreille
90 et je suis sûr qu'il a compris. La visite a été longue. Il n'a pas émis le moindre son.

« Quand nous nous sommes installés à Londres, j'ai feuilleté une sorte de journal que mon aînée tient avec beaucoup de régularité. Elle avait fort bien raconté le réveil dans la nuit, la
95 prière et mes avertissements. Elle a conclu : « Pour nous qui sommes habitués à ces choses, nous n'avons pas été surpris. »

Chapitre 5 : Notes de Philippe Gerbier, p. 138 à 142.

Le Bison, capturé après un accident de moto, parvient à s'échapper alors qu'il sort à peine du coma. Mathilde apprend où se trouve la chambre des tortures de sa ville. Gerbier, qui change sans cesse d'identité et de domicile, échappe à trois reprises à la Gestapo. Par sécurité, il ne veut plus que Jean-François soit au service de Luc, son propre frère.

1. **Estuaire** : large embouchure d'un fleuve.

Le sort des résistants

Ce matin, j'avais rendez-vous à l'atelier avec Jean-François, Lemasque et Félix. Je ne les avais pas vus depuis des mois. Nous devons fixer beaucoup de choses pour leur maquis. Comme j'arrivais devant la maison, la concierge se trouvait sur le seuil battant avec mollesse un vieux tapis. Me voyant traverser la rue elle s'est mise soudain à frapper frénétiquement sur le paillasson. La concierge n'a jamais été des nôtres, elle ne sait rien de notre activité. Cependant je ne suis pas entré.

- : -

Cette femme m'a délibérément sauvé la vie. Un enchaînement d'une simplicité extrême a conduit à la catastrophe.

En quittant sa région, Jean-François a laissé le commandement à un ancien officier qui a beaucoup d'autorité mais trop d'optimisme et aucun sens de la conspiration[1]. Il a eu besoin de faire parvenir un message à Jean-François et lui a envoyé un agent de liaison. Il a pris un garçon très jeune et sans aucune expérience. Au lieu de l'adresser à un relais, il lui a donné la rue et le numéro de l'atelier. Le garçon, attendant une correspondance de train, s'est endormi. Il a été réveillé par une rafle. On a trouvé sur lui mon adresse. Il n'a pas su inventer l'explication plausible[2]. Souricière[3]. Lemasque, Félix et Jean-François ont été pris. La concierge n'a pensé qu'ensuite à ce moyen d'alarme : le paillasson.

- : -

1. **Conspiration** : complot, stratagème.
2. **Plausible** : crédible, vraisemblable.
3. **Souricière** : piège, embuscade.

Nouvelles de Jean-François.

Le commissaire l'interroge dans l'atelier ayant devant lui tous les rapports trouvés sur Jean-François, Lemasque et Félix. Jean-François répond n'importe quoi. Soudain, il mord le commissaire à la main, et si fort qu'il lui arrache un morceau de la paume. Il s'empare des documents, renverse deux inspecteurs l'un sur l'autre et descend l'escalier en rafale. Il m'a fait parvenir les rapports et est retourné au maquis avec mes instructions.

- : -

Nouvelles de Félix.

Sur un bout de papier pelure, Félix avait une adresse d'appartement de secours loué au nom d'une jeune fille et où je me rendais de temps en temps en qualité de protecteur. Cette adresse, Félix l'avait rédigée selon un code à lui. Interrogé, il a su interpréter les signes comme un rendez-vous pris tel jour et à telle heure sur une place publique avec un chef important de la résistance. Il l'a fait avec les hésitations, les détours, les réticences qu'il fallait pour qu'on le crût. Et il a consenti de la même façon à mener deux policiers à ce faux rendez-vous.

Il arrive au milieu de la place. Félix précède les policiers de quelques pas. Un tramway passe. Félix saute dedans, le traverse, sort de l'autre côté, se perd parmi les passants.

Alors il a voulu me prévenir et il s'est rendu à l'adresse de secours. Or, la jeune fille qui l'avait loué était venue entre-temps à l'atelier et les policiers avaient su la faire parler. Félix a été repris.

Il est enfermé ainsi que Lemasque à Vichy, dans les caves de l'Hôtel Bellevue réquisitionné par la Gestapo.

- : -

50 J'ai vu à l'usine un petit ouvrier qui a passé huit mois sans aucune raison dans le quartier allemand de la prison de Fresnes. Il a deux côtes brisées et il boite pour la vie.

Ce qu'il y a de plus insupportable d'après lui, c'est l'odeur épaisse du pus qui a giclé sur les murs des cellules.

55 – « L'odeur des copains torturés », dit-il.

Je pense à Lemasque. Je pense à mon vieux Félix.

- : -

Nouvelles de Lemasque.

Il a été enfermé dans la même cave que Félix. Il avait des menottes et des fers aux pieds. Félix était considéré comme le 60 plus dangereux. On lui en voulait d'avoir trompé la Gestapo. On l'interroge dès le premier jour. Il ne revient pas de l'interrogatoire. Mais la nuit, à la clarté des ampoules du plafond, Lemasque voit le cadavre de Félix traîné dans le couloir par une corde passée autour du cou.

65 Félix n'avait plus d'yeux. Félix n'avait plus de mâchoire inférieure. Lemasque l'a reconnu surtout au sommet chauve de son crâne... Félix La Tonsure.

Lemasque a tellement eu peur de subir le même supplice, que tout à coup il *a su* qu'il s'évaderait.

70 Lemasque réussit (il ne pourra jamais dire comment il y parvint) à défaire le cadenas qui tient les fers à ses chevilles. La nuit vient. De ses mains enchaînées il descelle les barreaux mal fixés du soupirail de la cave, et, les pieds en avant, il se glisse dehors. Le voilà dans les rues de Vichy menottes aux mains. La seule per-75 sonne qu'il connaisse à Vichy est un employé de ministère qui loge dans un hôtel réquisitionné. Lemasque est venu le voir une seule fois pour obtenir de faux ordres de mission. Dans les rues parcourues par les patrouilles de gardes mobiles et les rondes

de la Gestapo, Lemasque, avec ses menottes, se met à chercher l'hôtel. Il faut qu'il l'ait trouvé avant l'aube ou il est perdu. Les heures passent. Lemasque tourne à travers Vichy. Enfin, il pense avoir trouvé l'endroit. Il pénètre dans l'hôtel endormi. Un dernier effort, un effort désespéré de la mémoire pour se rappeler l'étage et la place exacte de la chambre. Lemasque enfin croit se souvenir. Il frappe à la porte. On ouvre. C'est bien le camarade de chez nous.

Le soir, un ouvrier ami vient avec une scie à métaux délivrer Lemasque de ses menottes. J'ai fait confirmer l'histoire par l'employé et par l'ouvrier. Sinon je me serais toujours demandé si Lemasque n'avait pas faibli et inventé cette évasion pour le compte de la Gestapo.

Chapitre 5 : Notes de Philippe Gerbier, p. 176 à 180.

Lemasque, tout juste évadé, se remet à travailler pour la Résistance mais il est de nouveau capturé. Torturé, il se suicide avec du cyanure. La femme de Félix s'engage dans la Résistance, ainsi que Madeleine, une jeune fille qui rappelle à Mathilde sa fille. Capturées et torturées, elles ne révèlent rien. Mathilde est ivre de haine contre la Gestapo. Le Bison et Jean-François sont prêts à tout pour elle.

Dans l'attente de l'exécution

Le soldat allemand cessa de marcher dans le corridor et colla son visage casqué contre le carré découpé dans la porte. Parmi les condamnés à mort, Gerbier seul fit attention à ce morceau de métal, de chair et de regard qui avait bouché l'orifice. Il était le seul à ne pas concevoir que la vie fût achevée. Il ne se sentait pas en état de mort.

Les yeux du soldat allemand rencontrèrent les yeux de Gerbier.

– « Il ne semble pas avoir peur », pensa le soldat.

Les autres condamnés étaient assis en rond sur les dalles nues et conversaient à voix basse.

– « Eux non plus », pensa le soldat, « Pourtant c'est au matin. »

Le soldat se demanda un instant comment il se serait comporté s'il n'avait eu que deux heures à vivre. Il se demanda aussi ce qu'avaient pu faire ces hommes. Puis il bâilla. La garde était longue. Il valait mieux arpenter le couloir jusqu'à l'exécution. C'était la guerre, après tout.

Gerbier ramena son regard sur ses camarades aux pieds enchaînés comme lui. La chambrée de l'ancienne caserne française avait des murs d'un gris livide[1]. La mauvaise lumière électrique donnait la même teinte aux condamnés.

Outre Gerbier ils étaient six. Celui qui parlait au moment où Gerbier recommença d'écouter distraitement leurs propos avait un accent breton prononcé. Son extrême jeunesse ne se découvrait que par des intonations encore naïves. Mais sa figure,

1. **Livide** : couleur bleuâtre ou verdâtre tirant sur le noir.

Jusqu'à la fin du roman, Kessel reprend la narration à la troisième personne.

simple de lignes et si fruste[1] qu'elle semblait taillée dans du buis[2], n'en montrait aucune trace. Elle était figée dans une sorte d'incrédulité pesante. Les yeux saillants portaient l'expression immobile d'un homme qui a été blessé par des images dont il ne peut plus se défaire.

– « C'est la deuxième fois que je dois être fusillé », disait le garçon. « La première n'a pas été la bonne parce que j'avais seulement quinze ans alors. C'était à Brest et pour des mitrailleuses que des soldats français partant pour l'Angleterre avaient dû laisser. Nous, on ne voulait pas qu'elles aillent aux Boches. On les a enterrées. Un postier nous a vendus. Il a eu un couteau dans les épaules, mais douze copains un peu plus vieux que moi ont été exécutés. Vu mon âge, on a changé le jugement à la dernière minute et j'ai été pris en Allemagne comme prisonnier civil. Je n'ai jamais su à combien de temps j'ai été condamné. On vivait, on crevait, sans rien savoir. Pendant les trente mois que j'ai passés avant de m'évader, je n'ai pas reçu un colis, pas une lettre. Chez moi ils n'ont pas eu l'idée de ce que j'étais devenu. Ma mère, elle en est restée dérangée de la tête.

« Dans ces prisons civiles, il y avait de tout. Des Autrichiens, des Polonais, des Tchèques, des Serbes, et puis naturellement beaucoup d'Allemands. On avait faim... On avait faim !... Pour se couper l'appétit, les gens fumaient des brins de paille qu'ils retiraient de leur paillasse et qu'ils hachaient dans un bout de papier journal. Je n'avais jamais fumé. J'ai bien été forcé de m'y mettre... J'avais si faim ! »

Gerbier tendit à ses compagnons un paquet de cigarettes à demi plein. Chacun en prit une et chacun l'alluma sauf le plus

1. **Fruste** : aux traits grossiers et épais.
2. **Buis** : petit arbre de décoration vert foncé.

vieux, un paysan au poil gris et dur comme les soies[1] des sangliers. Il mit sa cigarette derrière l'oreille et dit : « Je la garde
55 pour tout à l'heure. » On comprit qu'il voulait dire l'heure de l'exécution. Le soldat allemand sentit l'odeur du tabac dans le couloir mais il ne dit rien. C'était lui qui avait vendu à Gerbier son paquet de cigarettes.

– « Quand on était pris à fumer cette paille on était puni
60 de vingt-cinq coups de bâton », dit le jeune Breton aux yeux saillants. « Mais comme on était puni pour n'importe quoi, pour rien, on pensait : un peu plus, un peu moins... et on fumait quand même.

« Les coups de bâton c'étaient les autres prisonniers qui
65 étaient obligés de les donner. Ils vous mettaient le dos à nu et ils frappaient. Les gardiens comptaient les coups. Si les copains n'allaient pas assez fort, ils y passaient à leur tour. Pour les peines de mort – et il y en avait... il y en avait tout le temps... c'était le même système. On choisissait les copains, les
70 meilleurs copains du condamné pour le pendre. Mais il n'était pas accroché à la potence[2] aussitôt condamné. Entre les deux, il se passait des jours et souvent des semaines... On ne savait rien, je vous dis. La potence était là, dans la cour, toute prête... Les condamnés – on leur peignait une grande croix noire dans le
75 dos et sur les genoux –, ils continuaient à travailler... Et puis un beau matin, on nous rangeait en carré autour de la potence et quatre copains faisaient les bourreaux pour un malheureux. Les autres condamnés avec leur croix noire, ils attendaient leur jour sans savoir lequel. Faut avoir vu leurs yeux pour comprendre...

1. **Soies** : poils.
2. **Potence** : gibet, poteau muni d'une corde servant à pendre les condamnés.

80 « Une fois, c'est un Polonais qui a été pendu. Ses quatre amis, des Polonais aussi, avant de lui passer la corde au cou se sont mis à genoux devant lui pour demander pardon. Il leur a fait le signe de croix sur chacun et ils se sont embrassés. Faut l'avoir vu pour le comprendre...

85 « On jetait les corps dans une fosse commune et on mettait de la chaux vive par dessus. C'était toujours nous autres qui le faisions. Il n'y avait pas que les condamnés à enterrer... Il y avait les morts de faim, de maladie... Et puis il y avait ceux qui ne pouvaient plus vivre de cette façon. Ceux-là, ils marchaient sur 90 une sentinelle. La sentinelle faisait des sommations[1]. Les gens ne s'arrêtaient pas, la sentinelle tirait. »

Le jeune Breton au visage de buis renifla. Il n'avait pas de mouchoir.

– « Mais le plus terrible dans ma tête ce ne sont pas les 95 morts », dit-il. « C'est un soir qu'on m'a changé de cellule et qu'on m'a mis avec un pauvre vieux tout blanc de cheveux et de barbe. Ce vieux-là, en me voyant, il s'est ratatiné dans un coin et il s'est mis les mains devant la figure comme si j'allais le frapper. J'ai cru d'abord qu'il était fou... Il y avait beaucoup 100 de fous... Mais non, il avait bien sa raison. Seulement il était juif. Et alors, les Allemands... les prisonniers allemands, je veux dire (parce que les gardiens je n'en parle pas) ils le battaient, ils le traînaient par la barbe dans la cellule, ils cognaient sa vieille tête blanche contre les murs. Des prisonniers à un autre prison-105 nier... À un pauvre vieux... »

Le voisin de Gerbier eut un tressaillement nerveux. Il était petit, brun, avec des yeux mobiles et mélancoliques.

1. **Sommations** : ordres répétés fermement.

« Un Juif », pensa Gerbier.

Il ne connaissait pas ses compagnons. On les avait réunis pour la dernière veillée seulement.

– « Alors, quand je me suis évadé et que, au bout de quelques mois, ils ont voulu m'envoyer travailler en Allemagne, je me suis défendu avec un couteau », dit sans changer d'expression le garçon, qui avait dix-huit ans. « Et me voilà... Cette fois, c'est la bonne... J'ai l'âge... »

Chapitre 6 : Une veillée de l'âge hitlérien, p. 210 à 214.

À la suite du jeune Breton, chacun des compagnons de Gerbier raconte son histoire. Il y a un vieux paysan qui a tué des Allemands et les a cachés dans sa cave, un étudiant lorrain qui a déserté, un châtelain qui a caché des clandestins et un rabbin qui a refusé de démasquer des Juifs.

Le sixième condamné continuait de tenir une main pressée contre la partie gauche de son visage. Il y manquait un œil et la chair en était comme ébouillantée.

– « Je suis communiste, et par dessus le marché prisonnier évadé, dit-il. Quand je suis revenu, je n'ai retrouvé ni ma femme, ni ma sœur, ni leurs mômes. Personne ne savait rien. Voilà ce qui s'était passé : ma sœur, elle est mariée à un député du parti. Il était en prison. Ma sœur s'est mise à réunir des sous chez les camarades pour lui envoyer des colis. Un beau jour elle apprend que la femme d'un autre député a été arrêtée pour ce crime-là. Ma sœur, elle n'a jamais été bien forte des nerfs. Elle a perdu la tête. Et comme elle habitait ensemble avec ma femme, l'affolement a pris ma femme aussi. Alors elles sont parties se

tapir dans un coin. Mais elles n'avaient pas d'endroit pour. Elles
130 avaient peur de tout le monde. Et aussi elles ne voulaient faire de tort à personne. Elles ont fini par trouver une baraque abandonnée dans les champs. Elles n'en sortaient que la nuit pour chercher des pommes de terre qu'elles déterraient. Et puis, elles mangeaient des racines. Elles sont restées des mois sans pain,
135 sans feu, sans linge, sans savon. Et les mômes aussi. Deux à moi, un à ma sœur. Quand j'ai fini par mettre la main dessus c'était beau à voir, je vous jure... Maintenant elles sont bien, chez des camarades. »

L'homme serra brusquement les dents et grommela : « Saleté
140 d'œil... Ce qu'il peut me faire souffrir... »

Il respira profondément et continua d'une singulière voix blanche :

« Et moi, on ne saura jamais ce que je suis devenu. La Gestapo n'a pas réussi à m'identifier. Je serai fusillé sous un faux nom. »

145 L'homme se tourna instinctivement vers Gerbier et les autres l'imitèrent. Gerbier était décidé à garder le silence. Il sentait qu'il n'était pas accordé intérieurement à ses compagnons. Il n'avait rien à leur confier. Et ils n'avaient aucune curiosité de ses confidences.

150 S'ils l'interrogeaient des yeux c'était simple politesse. Pourtant Gerbier lui aussi parla :

– « Je ne voudrais pas tout à l'heure me mettre à courir », dit-il.

Personne ne comprit. Gerbier se souvint que ces condamnés
155 étaient tous des isolés dans la résistance ou des étrangers à la ville.

– « Ici » dit Gerbier, « on fusille à la mitrailleuse et au vol. Je pense qu'ils le font pour s'entraîner... À moins que ce ne soit un divertissement... On vous lâche, vous prenez votre élan, vous

faites une vingtaine, une trentaine de mètres. Alors feu... C'est
160 un bon exercice de tir sur silhouettes mobiles. Je ne veux pas
leur donner ce plaisir. »

Gerbier sortit son paquet de cigarettes et distribua par moitié les trois qui restaient.

– « Personne ne voudra courir », dit l'étudiant.

165 – « Ça ne sert à rien », dit le paysan.

– « Et c'est vraiment perdre la face », dit le châtelain.

Le morceau de casque, de chair et de regard boucha l'orifice de la porte. Le soldat allemand cria quelques mots à Gerbier : « Il demande qu'on se dépêche de fumer » traduisit Gerbier.
170 « On vient nous chercher dans un instant. Il ne voudrait pas avoir d'ennuis. »

– « On a les ennuis qu'on peut », dit le communiste en haussant les épaules.

L'étudiant était devenu très pâle. Le châtelain se signa. Le rab-
175 bin se mit à chuchoter des versets hébraïques●.

– « Cette fois est la bonne », dit le Breton de dix-huit ans.

Gerbier souriait à demi. Le paysan prit lentement la cigarette qu'il avait sur l'oreille...

Chapitre 6 : Une veillée de l'âge hitlérien, p. 220 à 222.

Les condamnés sont conduits jusqu'à un champ de tir, lieu de leur exécution. Ils entonnent La Marseillaise. *Seul Gerbier conserve l'esprit clair. Parvenus sur le champ de tir, certains prisonniers oublient le conseil de Gerbier et songent qu'ils pourraient survivre s'ils courent assez vite.*

● **Le rabbin est un chef religieux dans le judaïsme. Il prononce des versets hébraïques, c'est-à-dire des prières en hébreu, la langue des premiers Juifs.**

Face au peloton d'exécution

Les soldats alignèrent les sept hommes comme l'officier l'avait ordonné. Et ne voyant plus les armes, sentant leur gueule dans son dos, Gerbier fut parcouru d'une contraction singulière. Un ressort en lui semblait le jeter en avant.

5 – « Allez... » dit le lieutenant de S.S.

L'étudiant, le rabbin, le jeune breton, le paysan, se lancèrent tout de suite. Le communiste, Gerbier et le châtelain ne bougèrent pas. Mais ils avaient l'impression de se balancer d'avant en arrière comme s'ils cherchaient un équilibre entre deux 10 forces opposées.

– « Je ne veux pas... je ne veux pas courir... » se répétait Gerbier.

Le lieutenant de S.S. tira trois balles de revolver qui filèrent le long des joues de Gerbier et de ses compagnons. Et l'équilibre fut rompu... Les trois condamnés suivirent leurs camarades.

15 Gerbier n'avait pas conscience d'avancer par lui-même. Le ressort qu'il avait senti se nouer en lui s'était détendu et le précipitait droit devant. Il pouvait encore réfléchir. Et il savait que cette course qui l'emmenait dans la direction de la butte ne servait à rien. Personne jamais n'était revenu vivant du champ de 20 tir. Il n'y avait même pas de blessés. Les mitrailleurs connaissaient leur métier.

Des balles bourdonnèrent au-dessus de sa tête, contre ses flancs.

– « Des balles pour rien » se dit Gerbier... « Tireurs d'élite... 25 Pour qu'on presse l'allure... Attendent distance plus méritoire... Grotesque de se fatiguer. » Et cependant, à chaque sifflement, Gerbier allongeait sa foulée. Son esprit devenait confus. Le corps l'emportait sur la pensée, bientôt il ne serait plus qu'un lapin fou de peur. Il s'interdisait de regarder la butte. Il ne voulait pas de cet espoir. Regarder la butte c'était regarder la mort, et il ne se sentait pas en état de mort… Tant qu'on pense on ne peut pas mourir. Mais le corps gagnait… gagnait toujours sur la pensée. Gerbier se rappela comment ce corps, contre lui-même, s'était détendu à Londres, à l'hôtel Ritz… Des pointes de bougies tremblèrent devant ses yeux… Le dîner chez la vieille lady avec le patron. Les pointes des bougies flamboyaient, flamboyaient, comme des soleils aigus.

Et puis ce fut l'obscurité. Une vague de fumée épaisse et noire s'étendit d'un bout à l'autre du champ de tir dans toute sa largeur. Un rideau sombre était tombé. Les oreilles de Gerbier bourdonnaient tellement qu'il n'entendit pas les explosions des grenades fumigènes[1]. Mais parce que sa pensée était seulement à la limite de la rupture il comprit que ce brouillard profond lui était destiné. Et comme il était le seul qui n'avait jamais accepté l'état de mort, il fut le seul à utiliser le brouillard.

Les autres condamnés s'arrêtèrent net. Ils s'étaient abandonnés à leurs muscles pour un jeu animal. Le jeu cessait, leurs muscles ne les portaient plus. Gerbier, lui, donna tout son souffle, toute sa force. Maintenant il ne pensait plus du tout. Les rafales se suivaient, les rafales l'entouraient, mais les mitrailleurs ne pouvaient plus que tirer au jugé. Une balle lui arracha un lambeau de chair au bras. Une autre lui brûla la cuisse. Il courut plus vite. Il dépassa la butte. Derrière était le mur. Et sur ce mur, Gerbier vit… c'était certain… une corde…

1. **Grenades fumigènes** : grenades qui envoient de la fumée.

55 Sans s'aider des pieds, sans sentir qu'il s'élevait à la force des poignets comme un gymnaste, Gerbier fut sur la crête du mur. À quelques centaines de mètres il vit… c'était certain… une voiture. Il sauta… il vola… Le Bison l'attendait, le moteur tournait, la voiture se mit à rouler. À l'intérieur il y avait Mathilde et 60 Jean-François.

Chapitre 7 : Le champ de Tir, p. 228 à 230.

Après son évasion, Gerbier reste caché. Il souffre de cette situation et pense amèrement à sa dernière détention. Hormis les approvisionnements hebdomadaires de Le Bison ou de Jean-François, il ne voit personne jusqu'à une visite inattendue de Saint-Luc.

Le destin de Mathilde

– « Nous devons parler de Mathilde ce soir », dit Luc Jardie.

Gerbier rejeta la tête en arrière, comme s'il était trop près en même temps de Jardie et du cercle étroit de lumière qui venait de la lampe voilée.

5 – « Nous le devons », répéta doucement Jardie.

– « Pourquoi faire ? », demanda Gerbier d'une voix brève et presque hostile. « Il n'y a rien à dire pour le moment. J'attends les nouvelles. Le courrier ne peut plus tarder. »

Luc Jardie s'assit près de la lampe. Gerbier également, mais 10 hors de la zone de clarté. Ses doigts écornaient sans qu'il le sût le coin d'une des cartes qu'il avait brouillées. Puis il chercha une cigarette mais il n'en avait plus. Il épuisait toujours sa provision de tabac avant le retour du courrier.

– « Les nouvelles seront les bienvenues », dit Luc Jardie. 15 « Mais j'aimerais auparavant revoir avec vous les données du problème comme nous faisions autrefois pour des questions moins humaines. Vous vous en souvenez ? »

Gerbier se souvint... Le livre de Jardie... Le petit hôtel de la Muette... Les méditations partagées. Les leçons de savoir, de 20 sagesse...

Sous la lampe étouffée, dans la chambre moisie, le visage de Jardie était le même qu'alors. Ce sourire si jeune et ces mèches blanches. Le dessin du front. Les yeux pensifs, chimériques[1].

– « Comme vous voudrez, patron », dit Gerbier. Il se sentait 25 de nouveau très libre d'esprit et capable de tout considérer avec sérénité.

1. **Chimériques** : rêveurs.

– « Parlez d'abord », demanda Jardie.

– « Les faits s'enchaînent comme suit », dit Gerbier. « Mathilde a été prise le 27 mai. On ne lui a fait aucun mal. 30 Elle a trouvé le moyen de nous le faire savoir très vite. Et aussi qu'elle était gardée étroitement. Puis nous apprenons que les Allemands enquêtent sur le passé de Mathilde. La Gestapo retrouve sans peine la fiche anthropométrique[1] établie après sa première arrestation. Les Allemands connaissent le vrai nom de 35 Mathilde et le domicile de sa famille. Descente dans l'immeuble de la Porte d'Orléans. La Gestapo emmène la fille aînée. »

Luc Jardie avait un peu incliné son front et enroulé autour de ses doigts les mèches blanches légères et bouclées qu'il avait près des tempes. Ne trouvant plus son regard Gerbier s'arrêta 40 de parler. Jardie releva la tête mais continua de jouer avec ses cheveux.

– « Il y a eu aussi la photographie », dit-il.

– « Oui », dit Gerbier. « C'est la seule faute que Mathilde ait commise pour sa sécurité. Elle a gardé sur elle cette image de 45 ses enfants. Elle croyait l'avoir cachée d'une manière introuvable. Les fouilleuses de la Gestapo l'ont trouvée. Les Allemands ont senti tout de suite le point de rupture chez cette femme sans nerfs. D'autant plus que Mathilde, la Mathilde que nous connaissons, s'est mise à supplier qu'on lui laisse la photogra- 50 phie. C'est incroyable... »

– « C'est merveilleux », dit Jardie.

Puis il demanda :

– « Vous avez vu la photographie ? »

1. **Fiche anthropométrique** : fiche récapitulant les caractéristiques physiques et sociales d'un individu.

– « Mathilde me l'a montrée une fois », dit Gerbier. « Quelques
55 enfants insignifiants et une jeune fille sans grande expression, mais fraîche, douce, propre. »

Gerbier s'arrêta de nouveau.

– « Alors ? » demanda Jardie.

– « Nous avons reçu un S.O.S. de Mathilde », dit Gerbier
60 d'une voix plus basse. « Les Allemands lui donnaient à choisir : Ou bien elle livrait tous les gens importants qu'elle connaissait chez nous, ou bien sa fille était envoyée en Pologne dans un bordel[1] pour soldats revenus du front russe. »

Gerbier, de nouveau, chercha en vain une cigarette. Jardie
65 cessa de jouer avec ses cheveux, mit ses mains à plat sur les genoux et dit :

– « Telles sont les données du problème. Je viens chercher la solution. »

Gerbier écorna le coin d'une carte et puis d'une autre. Il dit :
70 – « Mathilde peut s'évader. »

Jardie secoua la tête.

– « Vous savez quelque chose ? » demanda Gerbier.

– « Je ne sais rien sauf qu'elle ne *peut pas* s'évader, et que pas davantage elle ne peut se tuer. La Gestapo est tranquille. La fille
75 répond de tout. »

– « Mathilde peut gagner du temps », dit Gerbier sans regarder Jardie.

– « Combien de temps ? », demanda celui-ci.

Gerbier ne répondit pas. Il avait une envie de fumer effroyable.
80 – « Le courrier n'arrivera jamais ce soir », dit-il avec fureur.

1. **Bordel** : maison de prostitution.

– « Vous êtes impatient des nouvelles de Mathilde ou d'une cigarette ? », demanda Jardie avec bonté.

Gerbier se leva brusquement et s'écria :

– « Quand je pense à cette femme, à ce qu'elle était, à ce
85 qu'elle a fait et à quoi elle est réduite… je ne veux plus réfléchir… je… Oh ! les salauds, les salauds… »

– « Pas si fort, Gerbier », dit Jardie, « la maison est inhabitée. »

Il prit doucement Gerbier par le poignet et le fit se rasseoir.

Chapitre 8 : La fille de Mathilde, p. 237 à 241.

Face au danger qu'elle représente, Gerbier ordonne à Le Bison d'exécuter Mathilde. Celui-ci refuse catégoriquement. La tension monte, apaisée par Luc Jardie qui annonce que c'est Mathilde elle-même qui demande à être exécutée.

– « […] Si Mathilde avait cherché simplement à sauver sa
90 fille, elle n'avait qu'à livrer une liste de noms et d'adresses. Vous connaissez sa mémoire… »

– « Formidable », dit le Bison.

– « Bien », dit Jardie. « Au lieu de faire cela Mathilde raconte que nos gens changent sans cesse de domicile… Qu'il lui faut
95 retrouver les liaisons… n'importe quoi. Bref, elle se fait mettre en liberté. C'est assez clair ? »

Le Bison ne répondit pas. Il balançait la tête de droite à gauche et de gauche à droite.

– « Supposez que vous êtes à la place de Mathilde, que vous
100 êtes OBLIGÉ de livrer vos amis, et que vous n'avez pas le droit au suicide… »

– « Je voudrais qu'on me descende, c'est juste », dit lentement le Bison.

Jardie se mit à rire.

105 – « Alors, vous pensez que vous êtes plus courageux et meilleur que Mathilde ? » demanda-t-il.

Le Bison devint très rouge :

– « Faut m'excuser, patron », dit-il.

– « Bien », dit Jardie. « Vous prendrez une voiture allemande,
110 le petit Jean conduira, et je serai avec vous derrière. »

Gerbier fit un mouvement si vif que la lampe vacilla.

– « Patron, qu'est-ce que c'est que cette folie ? » demanda-t-il sèchement.

– « Je suis sûr que Mathilde aura plaisir à me voir », dit Jardie.

115 Jean-François murmura :

– « Je t'en prie, ce n'est pas ta place, Saint-Luc. »

Parce que son frère avait retrouvé le vieux surnom, Jardie lui mit la main sur l'épaule et il dit en riant, avec plus d'amitié encore qu'à l'ordinaire :

120 – « C'est un ordre. »

– « Il n'y avait pas besoin de ça, patron », dit le Bison.

Gerbier rédigea le courrier. Le Bison l'emporta. Jean-François sortit sur un signe de son frère.

– « Vous êtes sûr de ce que vous avez avancé au sujet de
125 Mathilde ? » demanda Gerbier.

– « Est-ce que je sais... », dit Jardie.

Il roula une mèche blanche entre ses doigts.

– « Il est possible que cette hypothèse soit juste », reprit-il. « Il est possible aussi que Mathilde ait voulu revoir ses enfants
130 et qu'il lui soit devenu plus difficile de mourir... C'est ce que je veux apprendre. »

Gerbier frissonna et dit tout bas :

– « Vous, dans cette voiture de tueurs... Il n'y a plus rien de sacré en ce monde. »

135 Il ne pensait même pas à dissimuler l'agitation de sa mâchoire inférieure.

– « Je suis resté avec vous pour le plus important », dit Jardie. « Londres demande un homme de chez nous pour quelques consultations. Vous serez du premier voyage. »

140 Gerbier écorna le coin d'une carte.

– « C'est un congé de convalescence[1] ? » demanda-t-il.

Jardie se mit à rire et dit :

– « Vous continuez à ne pas vouloir courir, Gerbier ?... »

– « Oh ! cette fois je veux bien », dit Gerbier.

145 Il sentait une joie misérable et toute-puissante circuler à travers son corps.

Quand Mathilde vit la voiture des tueurs s'approcher d'elle, Jardie ne put rien distinguer sur son visage.

Le Bison tira comme à l'ordinaire, sans défaut.

150 Et Jean-François sut dépister la poursuite.

Gerbier a passé trois semaines à Londres.

Il est reparti pour la France bien portant et très calme.

Il avait retrouvé l'usage de son demi-sourire.

Londres, septembre 1943.

Chapitre 8 : La fille de Mathilde, p. 242 à 253.

Joseph Kessel, *L'Armée des ombres*,

1. **Convalescence** : repos pour se rétablir après une maladie.

Jeunes résistants réfugiés dans le maquis.

LE DOSSIER

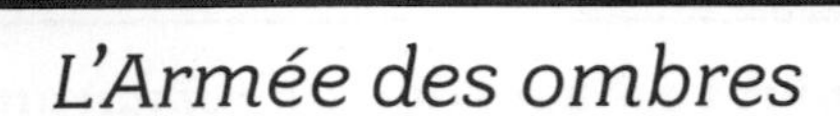

L'Armée des ombres

Un roman engagé sur la Résistance

REPÈRES

PARCOURS DE L'ŒUVRE

TEXTES ET IMAGE

À quel genre de roman appartient *L'Armée des ombres* ?

Récit fictif,* L'Armée des ombres *est pourtant un roman ancré dans son époque puisque Joseph Kessel l'écrit sous l'occupation allemande. En narrant les exploits d'un groupe de résistants français, l'auteur rend hommage à la Résistance tout en affirmant son engagement militant.

• UN ROMAN PROCHE DU ROMAN D'AVENTURES

Dans un roman d'aventures, le héros est confronté à de multiples épreuves qu'il devra réussir afin de prouver sa valeur. Le roman d'aventures comporte donc des péripéties au terme desquelles le héros a *évolué*.

Héros principal de ce roman d'aventures, Gerbier suit un parcours initiatique comme d'Artagnan dans Les Trois Mousquetaires *ou Jim Hawkins dans* L'Île au trésor.

L'Armée des ombres, par de nombreux aspects, est un roman d'aventures dans lequel les héros, les résistants, affrontent de nombreux obstacles (l'emprisonnement, la torture, la trahison) et viennent à bout de nombreuses épreuves : transporter des objets interdits, passer la ligne de démarcation ou encore infiltrer l'ennemi.

• UN ROMAN PROCHE DU ROMAN D'ESPIONNAGE

Obligée d'agir dans l'ombre, la Résistance va-t-elle réussir à vaincre l'occupant ? C'est la question qui traverse tout le roman et qui l'apparente à un roman d'espionnage. Kessel recourt à plusieurs procédés du genre : traque d'ennemis (mort de Paul Dounat), rebondissements incessants (évasion de Félix, volte-face de Mathilde), suspense haletant quand le héros est menacé de mourir (Gerbier face au peloton d'exécution). Par ailleurs, comme dans un roman d'espionnage, les personnages ont des profils bien définis (l'intellectuel Luc, le meneur Gerbier, l'homme au grand cœur Félix) et souvent *manichéens*.

Cela signifie qu'ils évoquent clairement le bien ou le mal.

UN TÉMOIGNAGE

Fortement ancrée dans son époque, l'intrigue de *L'Armée des ombres* est indissociable du contexte historique. À travers ses personnages et leurs péripéties, Kessel témoigne de la vie des Français sous l'Occupation.
Ainsi Mathilde et ses enfants souffrent de la pénurie alimentaire ; Legrain est atteint de la tuberculose ; Gerbier est enfermé dans un camp ; les Résistants sont aidés secrètement par la population. En évoquant des situations concrètes (où cacher les alliés, comment transmettre des messages), Kessel rend hommage aux hommes et femmes d'âges ou de classes sociales différentes qui ont agi contre l'ennemi.

UN ROMAN ENGAGÉ

Le roman *engagé* est un roman dans lequel l'écrivain défend ses idées politiques et intellectuelles par le biais de l'intrigue et des personnages. L'argumentation de l'écrivain est donc implicite*.
L'Armée des ombres est finalement avant tout un roman engagé. Il constitue clairement un hommage à la Résistance intérieure et une dénonciation de la collaboration. La fin ouverte* souligne le caractère contemporain* du roman : malgré la mort de Félix ou de Mathilde, Gerbier et Luc, sains et saufs, poursuivent leur action.

À l'origine, l'engagement c'est l'action de mettre en gage, *c'est donc être lié par un contrat. Un écrivain engagé participe par son œuvre à la vie sociale, politique, religieuse ou intellectuelle de son époque. Il défend des valeurs qui correspondent à ses convictions personnelles.*

L'engagement dans le roman

Plusieurs romanciers célèbres expriment leur engagement aux XIXe et XXe siècles : Hugo dans Le dernier jour d'un condamné *(1829) ; Zola dans* Germinal *(1885) ; Malraux dans* La Condition humaine *(1933) ; Hemingway dans* Pour qui sonne le Glas *(1940).*

Résistant des FFI à l'affût derrière une Traction-avant, août 1944. Élément de la couverture de L'Armée des ombres, *Pocket.*

Qu'est-ce que la littérature engagée ?

Le mot engagement date du xxe siècle, mais l'engagement à la fois politique et humaniste des écrivains est bien antérieur.

• LA LITTÉRATURE ENGAGÉE : DE ZOLA À SARTRE

On parle de littérature engagée quand un écrivain participe à la vie politique et intellectuelle de son époque en soutenant dans ses œuvres les causes et les idées auxquelles il adhère ou en dénonçant les situations qui lui semblent injustes.
Parmi les écrivains français connus pour leur engagement, on peut citer Émile Zola ou Jean-Paul Sartre.

De Zola à Sartre

Le 13 janvier 1898, Zola écrit « J'accuse ! », un article qui relance le procès d'Alfred Dreyfus, un officier juif injustement accusé de trahison. L'intervention de l'écrivain est capitale.
Détenu dans un camp pendant la Seconde Guerre mondiale, Sartre participe à la constitution d'un réseau de résistance dès sa libération. Il écrit dans le journal résistant Combat *puis fonde la revue* Les Temps Modernes *en 1945 : dès le premier numéro, il défend la notion d'engagement chez un écrivain.*

• MAIS D'AUTRES ÉCRIVAINS LES ONT PRÉCÉDÉS

Au XVIe siècle, Agrippa d'Aubigné, protestant et ami du futur Henri IV, écrit *Les Tragiques*, un long poème dans lequel il dénonce le massacre des protestants par les catholiques.
En 1763, Voltaire dénonce aussi une injustice religieuse avec le *Traité sur la Tolérance*, où il obtient la révision du procès de Jean Calas, protestant.
De manière plus générale, les écrivains du siècle des Lumières, soucieux de progrès social, participent à la vie intellectuelle et politique de leur époque.
Au XIXe siècle, Victor Hugo, connu pour ses convictions humanistes et politiques, recourt à tous les genres littéraires : il dénonce aussi bien l'exploitation des enfants que la peine de mort (*Le dernier jour d'un condamné*, 1829) ou les crimes de Napoléon III (*Les Châtiments*, 1853).

● LES ENGAGEMENTS MARQUANTS AU XXe SIÈCLE

Certaines périodes historiques mettent en lumière l'engagement des écrivains. C'est le cas de la Seconde Guerre mondiale où l'engagement prend la forme de la résistance au totalitarisme. Parmi les écrivains résistants, on compte André Malraux (*La Condition humaine*, 1933), Albert Camus (*L'Étranger*, 1942) ou Vercors (*Le Silence de la mer*, 1942).
C'est le cas également de la guerre d'Espagne (juillet 1936 à avril 1939), qui s'achève par la dictature de Franco. Malraux s'en inspire et écrit *L'Espoir* en 1937 tandis qu'Hemingway rend hommage aux Espagnols avec *Pour qui sonne le glas* trois ans plus tard.
Enfin, de 1954 à 1962, la guerre d'Algérie est au cœur de l'actualité. L'indépendance ne se fait pas sans violence, ce que raconte Didier Daeninckx dans *Meurtres pour mémoire* (1991).

● L'ENGAGEMENT DANS LE ROMAN D'AUJOURD'HUI

L'engagement de l'écrivain provient à la fois de ses opinions personnelles mais aussi des circonstances liées à son époque. C'est pourquoi les thèmes de l'engagement ont évolué. Aujourd'hui, les romanciers témoignent sur le monde dans lequel nous vivons, ils s'expriment sur les faits de société.

Les faits de société sont toutes les questions qui se posent au quotidien sur l'individu et le monde comme la santé, le monde du travail, les inégalités sociales, l'immigration, l'éducation, la société de consommation.

Poésie et engagement

Sous l'Occupation, de nombreux poètes comme René Char, Robert Desnos, Louis Aragon ou Paul Éluard ont résisté par leurs actes mais aussi par leurs écrits. La poésie s'est avérée un formidable moyen d'expression grâce à sa forme brève et à son vocabulaire simple.

Quelques récits sur les faits de société

- *Sur la télévision : Didier Daeninckx,* Zapping, *© Gallimard, 1992.*
- *Sur l'exclusion : Delphine de Vigan,* No et moi, *© Lattès, 2007.*
- *Sur l'intolérance : Amos Oz,* Soudain dans la forêt profonde, *© Gallimard, 2006.*
- *Sur la filiation : Thierry Jonquet,* Mon vieux, *© Seuil, 2004.*

Étape 1 • Comprendre l'incipit* du roman

SUPPORT : L'arrivée de Gerbier au camp (p. 12 à 16)

OBJECTIF : Repérer et étudier les caractéristiques de l'incipit* dans un roman engagé, comprendre les particularités liées au contexte historique.

As-tu bien lu ?

1 Comment se nomme le héros ?

2 Où les gendarmes le conduisent-ils ?
☐ au poste de police ☐ en prison ☐ dans un camp de concentration

3 Lors de quelle guerre se passe ce roman ?
☐ la Première Guerre mondiale
☐ la Deuxième Guerre mondiale
☐ la guerre d'Algérie

4 Quels problèmes la guerre pose-t-elle au commandant du camp ?

5 Quel lieu le héros découvre-t-il à la fin de l'extrait ?

Un prisonnier singulier

6 a. Qu'apprend-on sur Gerbier ? Complète ce tableau.

Apparence physique	
Métier	
Traits de caractère	
Opinions politiques	
Niveau social	

b. Que nous apprend le dossier de Gerbier :
– sur les raisons de son incarcération ?
– sur la situation des Français en 1941 ?

7 Souligne les répliques de Gerbier dans le dialogue. En quoi révèlent-elles à la fois son statut et sa personnalité ?

Les particularités d'une détention en 1941

8 Comment le gendarme traite-t-il Gerbier ? Pour quelles raisons ? Quels éléments le prouvent ?

9 Quel métier exerçait le commandant du camp avant la guerre ? Pourquoi ses fonctions ont-elles changé ?

10 **a.** Relève les mots appartenant au champ lexical* de l'emprisonnement.
b. « C'est le camp des Allemands » : explique le sens de cette expression d'après le contexte historique. Aide-toi des notes.

11 Quel est le sort de Gerbier à la fin de l'extrait ? Quelle question peut-on alors se poser ?

La langue et le style

12 **a.** Le passage suivant : « Il était bien habillé [...] de misère... », est-il rapporté au discours :
☐ direct ☐ indirect ☐ indirect libre
Justifie ta réponse et relève dans le texte un passage identique.
b. Quel est l'intérêt de ce discours rapporté ?

13 « En somme, une vraie chance, remarqua Gerbier. » En quoi cette remarque est-elle ironique* ? Trouve dans la suite du texte une remarque de même type formulée par Gerbier. Pourquoi le héros emploie-t-il l'ironie* ?

Faire le bilan

14 Montre comment ce début de roman présente les éléments clés de l'intrigue* : héros, personnages secondaires, lieu, moment et époque de l'action. Pourquoi le contexte historique est-il un élément essentiel dans cet incipit* ?

À toi de jouer

15 Gerbier parvient à communiquer avec des résistants. À l'aide de la lecture et de l'étude de cet extrait, écris ce qu'il leur raconte sur les circonstances et les conditions de sa détention. Respecte les caractéristiques d'une lettre (mise en page, formule d'appel, etc.) et aide-toi des informations données par le texte.

Étape 2 • Rendre compte du contexte historique du récit

SUPPORT : Le camp et la misère des détenus (p. 17 à 20)

OBJECTIF : Analyser une scène descriptive, comprendre ce qu'est un camp d'emprisonnement en 1941 à travers l'étude des personnages.

As-tu bien lu ?

1 Dans quelle ville Pétain a-t-il installé son gouvernement ?
- ☐ Paris
- ☐ Marseille
- ☐ Vichy

2 Comment se nomme la police nazie avec laquelle ce gouvernement collabore ?

3 Retrouve les mots qui manquent. Que soulignent-ils ?
« Le plateau était .... et occupé entièrement par la .... des internés ». « Puis des baraques en planches, en tôle ondulée, en carton goudronné, ... à perte de vue. »

4 « Ils faisaient argent de tout » : qui est désigné par le pronom « ils » ? Explique cette expression à l'aide du texte et des notes.

5 En quoi le sort des Kabyles est particulièrement révoltant ?

Un monde à l'envers

6 **a.** Quelle figure de style Joseph Kessel emploie-t-il dans tout le deuxième paragraphe de « Pour les étrangers » à « leur innocence... » (lignes 14 à 23) ?
b. Que cherche-t-il à souligner ainsi ?

7 Dans le troisième paragraphe (lignes 24 à 28), quelle énumération* Joseph Kessel emploie-t-il pour montrer le caractère injuste de cet emprisonnement ?

8 Le choix des gardiens est-il fait de façon judicieuse ? Justifie ta réponse à l'aide du texte.

La déshumanisation du camp

9 Relève les éléments descriptifs qui montrent que les prisonniers n'ont plus aucune vitalité.

10 Comment réagissent-ils en voyant la poubelle renversée ? Explique leur attitude.

11 Quels mots appartiennent au champ lexical* de la violence ? Qui désignent-ils ?

La langue et le style

12 **a.** Retrouve dans le texte les métaphores* qui désignent les personnages.

Métaphores désignant :	les prisonniers	les gardiens
5e paragraphe		X
6e paragraphe		

b. En quoi ces métaphores soulignent-elle la déshumanisation des individus ?

Faire le bilan

13 Réécris le début de chacune de ces phrases et complète-les à l'aide de tes réponses précédentes.
Le camp des prisonniers est de plus en plus étendu car ....
Le camp présente un monde à l'envers car ....
Le camp déshumanise les détenus car ....

À toi de jouer

14 Gerbier achète des rations de nourriture à un gardien corrompu. Imagine dans un dialogue le contenu de leur conversation. N'oublie pas de tenir compte de la présentation du dialogue, indique par des verbes de parole précis qui parle.

Étape 3 • Caractériser les personnages principaux

SUPPORT : Le choix de Legrain (p. 25), L'exécution de Dounat (p. 34), Les risques du métier (p. 39), Mathilde, une résistante (p. 45)

OBJECTIF : Définir les principales caractéristiques des héros, établir quelles relations ils entretiennent entre eux, percevoir leur évolution au cours du roman.

As-tu bien lu ?

1 Associe chaque personnage à la bonne définition.

Philippe Gerbier •	• Ignorant son rôle dans la Résistance, sa femme le traite de fainéant.
Félix •	• Compagnon de guerre de Félix.
Mathilde •	• Il ne se résout pas à tuer Paul Dounat.
Guillaume Le Bison •	• Communiste atteint de tuberculose.
Roger Legrain •	• Homme de décision dans l'état-major de la Résistance.
Claude Lemasque •	• Il porte toujours un couteau sur lui.
Jean-François Jardie •	• Grand patron, il fait le portrait d'une résistante recrutée par ses soins.
Luc Jardie •	• Personne austère mais qui n'hésite pas à cacher des explosifs dans un landau.

2 Quels personnages portent le même nom de famille ? À l'aide des indices du texte et du paratexte, retrouve leur lien de parenté.

Les actions des résistants

3 Indique le nom des personnages pour chaque action.

Actions pour la Résistance	Personnages
Établir un plan pour cacher des alliés	
Exécuter un traître	
Fabriquer de faux documents	
Faciliter la fuite d'un résistant	
Mener une double vie (conserver un emploi en apparence)	
Préparer la venue d'un sous-marin	
S'enfuir d'un camp de détention	
Transporter des tracts, postes de radio, armes	

4 À partir du tableau, détermine le rôle des différents personnages : lesquels dirigent les opérations, lesquels les exécutent ?

Du courage jusqu'au sacrifice

5 Détermination, sang-froid, capacité d'adaptation et abnégation sont les qualités dont les personnages font preuve. Prouve-le en faisant référence aux péripéties racontées dans les quatre extraits.

6 **a.** Parmi les protagonistes, lesquels sont prêts à :
- sacrifier leurs convictions ?
- sacrifier leur santé ?
- sacrifier leur famille ?
- sacrifier leur vie ?

b. Justifie tes réponses.

L'évolution des personnages

7 **a.** Comment réagit Lemasque face à Dounat ? Pour quelles raisons ?
b. Quels autres personnages sont marqués par l'exécution de Dounat ? Justifie ta réponse.

8 **a.** Les expressions suivantes qualifient Mathilde : *aussi desséchée dans ses sentiments que dans ses traits et son corps – véritable accès de passion – inactive – jamais lasse – visage d'hostilité contre l'existence – heureuse lorsqu'il fallait ajouter des explosifs.*
Classe-les dans deux colonnes qui les opposent.
b. Quel est l'intérêt de ce portrait contrasté ?

Faire le bilan

9 Dans un premier paragraphe, indique les principaux traits de caractère des héros du récit. Dans un second, explique en quoi leur engagement dans la Résistance change leur vie.

Donne ton avis

10 Quel personnage trouves-tu le plus attachant ? Justifie ton choix en évoquant son caractère, ses réactions, sa relation aux autres.

Étape 4 • Analyser le thème principal du roman : la Résistance

SUPPORT : Le retour de Londres (p. 49), La clandestinité (p. 53)

OBJECTIF : Étudier le thème de la Résistance à l'aide du cadre et du lieu de l'action, des personnages et de la narration.

As-tu bien lu ?

1 Comment Gerbier est-il rentré en France ?
☐ en bateau ☐ en avion ☐ en se faisant parachuter

2 Quelles sont les initiales de la radio londonienne utilisée par la Résistance ?
☐ A.B.C. ☐ B.B.C. ☐ C.B.S.

3 Que fait le garde en découvrant le contenu de la valise de Jean-François ?
☐ Il l'arrête et le remet à la Gestapo.
☐ Il le félicite et l'aide à porter la valise.
☐ Il désapprouve mais ne dit rien.

Les circonstances de la Résistance

4 De quoi souffre la population pendant l'Occupation ? Relève deux exemples dans « Le retour de Londres ».

5 Quel nouveau malheur, qui touche toutes les familles, s'abat sur la population ?

6 Quelle somme la Gestapo est-elle prête à verser chaque mois à ses indicateurs ?
☐ Un millier de francs ☐ Un million de francs ☐ Un milliard de francs

La solidarité des résistants

7 Coche la bonne réponse dans le tableau. Que constates-tu ?

Actes de résistance mentionnés par Gerbier	Actes isolés	Actes collectifs
Sauter en parachute		
Parler sur la B.B.C.		
Envoyer des télégrammes		
Cacher des résistants		

Endosser une fausse identité		
Diriger des groupes de combats		
Venir en aide aux détenus		
Diriger les hommes dans le maquis		
Transporter des tracts contre les Allemands		
Infiltrer l'ennemi		
Tuer quatre soldats allemands		
Se rendre à Londres auprès de de Gaulle		

8 La solidarité des résistants est particulièrement active contre la Gestapo. Quel exemple peux-tu citer ?

L'héroïsme des résistants

9 Dans les deux extraits, Jean-François, Félix, Lemasque, Mathilde, Le Bison et Gerbier ont accompli des actes héroïques. Indique-les.

10 Quelle métaphore* religieuse Gerbier emploie-t-il pour qualifier sa situation ? Relève-la et explique-la avec précision.

11 **a.** Pour Gerbier, « La vérité est seulement dans les faits » (p. 52, ligne 77). Malgré cette assertion, retrouve l'énumération dans laquelle il décrit des actes héroïques au quotidien.
b. Quels éléments t'ont permis de la reconnaître ?

La langue et le style

12 **a.** À quelle personne est faite la narration dans ces extraits ? Qui est le narrateur ?
b. Relève trois phrases non verbales. Justifie cet emploi à l'aide du narrateur et du genre de ces extraits.

Faire le bilan

13 Qui Gerbier évoque-t-il dans le 2e extrait, lignes 65 à 96 ? Quel sentiment éprouve-t-il pour lui ? À ton avis, pourquoi ? En quoi est-il représentatif d'une résistance quotidienne sous l'Occupation ?

À toi de jouer

14 Un attentat contre la Gestapo a eu lieu. Raconte d'une façon journalistique ce qui s'est passé en prenant Gerbier pour narrateur.

Étape 5 • Comprendre l'organisation du récit

SUPPORT : Extraits p. 12 à 68.

OBJECTIF : Connaître les étapes importantes du récit, étudier la structure du roman, analyser ses principales caractéristiques.

As-tu bien lu ?

1 Remets dans l'ordre les étapes du récit.

a. Gerbier et Félix préparent la venue d'un sous-marin.
b. Jean-François s'enfuit mais Félix est torturé et assassiné.
c. Lemasque s'enfuit mais, repris, il se suicide.
d. Gerbier se fait parachuter en France.
e. Legrain ayant refusé de fuir, Gerbier s'échappe seul.
f. Gerbier, capturé, attend d'être fusillé avec six autres prisonniers.
g. Gerbier est emprisonné dans un camp où il rencontre Legrain.
h. Gerbier et ses hommes capturent et tuent Paul Dounat, un traître.
i. Gerbier et Luc se rendent à Londres.
j. Lemasque, Félix et Jean-François sont capturés.

Une construction riche et complexe

2 En t'aidant des propos de Legrain, à quelle date commence le roman ?

3 À quelles villes correspondent les lieux de rencontre ou d'action des résistants ?

Londres • • avenue de la Muette
Limoges • • camp de concentration
Paris • • siège de la B.B.C.

4 **a.** Complète le tableau ci-dessous.

Extraits	À quelle personne est menée la narration ?	De quel type de narrateur s'agit-il ?	Qui est le narrateur ?
1 à 7			
8			
9 à 11			
12 à 14			

b. La narration du roman te paraît-elle simple ou élaborée ? Justifie.

D'incessantes péripéties

5 a. Complète le texte à trous pour retrouver les péripéties* et le nom des personnages qui les ont affrontées.
Abordé par des policiers, Dounat découvre qu'il s'agit des .... déguisés qu'il a .... transporte des explosifs dans le .... de son dernier-né. Gerbier saute en .... Jean-François se fait prendre avec une valise pleine de .... et de .... Le Bison, dans le coma après un accident de .... , s'échappe dès son .... mord le commissaire et s'enfuit. .... fixe un faux rendez-vous à la police et saute dans un .... Lemasque détache ses .... , descelle les .... et s'enfuit.
b. Quelle caractéristique de ce roman ces péripéties soulignent-elles ?

6 a. Le dernier extrait fait écho au premier extrait. Pourquoi ?
b. Dans le dernier extrait, la situation du héros s'est-elle améliorée ? Pourquoi ? Justifie ta réponse.

La langue et le style : un rythme contrasté

7 a. Complète le tableau ci-dessous.

Extraits	Lignes	Temps utilisés	Valeur de ces temps	Formes de discours
2	1 à 20			
4	54 à la fin			
7	30 à 40			
11	17 à 37			
12	1 à 22			

b. Comment l'auteur procède-t-il pour modifier le rythme du récit ?

Faire le bilan

8 Explique dans un paragraphe de dix lignes quel est l'intérêt pour Kessel de multiplier les narrateurs, personnages, lieux et actions.

À toi de jouer

9 Raconte l'évasion de Jean-François de son point de vue. Souligne le rythme du récit à l'aide de verbes d'action.

Étape 6 • Étudier le dénouement*

SUPPORT : Dans l'attente de l'exécution (p. 62), Face au peloton d'exécution (p. 69), Le destin de Mathilde (p. 72)

OBJECTIF : Étudier les caractéristiques d'un dénouement* et déterminer ses particularités dans le roman de Kessel.

As-tu bien lu ?

1 Coche les réponses justes.
- ☐ Gerbier conseille aux condamnés de courir le plus vite possible.
- ☐ Le Bison, Mathilde et Jean-François ont provoqué l'évasion de Gerbier.
- ☐ Mathilde doit trahir les résistants ou sa fille sera prostituée et violée.
- ☐ Mathilde a fait exprès de se faire libérer pour que ses alliés la suppriment.
- ☐ Gerbier a passé trois mois à Londres.

Un dénouement* structuré et rythmé

2 a. Dans les trois extraits, indique les lieux de l'action, les personnages présents et précise s'il s'agit d'un dialogue ou de narration.
b. Comment le dénouement* est-il construit ? À ton avis, pourquoi ?

3 a. Dans les lignes 1 à 20, p. 62 et lignes 38 à 60, p. 70, quel temps est le plus employé ? Justifie son emploi.
b. La présence de ces rebondissements* te paraît-elle judicieuse ?

Stabilité et évolution des personnages

4 a. Complète le tableau ci-dessous à l'aide des trois extraits.

Noms	Chef ou exécutant ?	Qu'est-ce qui le prouve ?
Gerbier		
Le Bison		
Jean-François		
Luc		

b. Le rôle des personnages est-il le même qu'au début du récit ? En quoi est-ce logique ?

5 a. Quelles sont les réactions des personnages concernant Mathilde ?
b. En quoi Le Bison et Gerbier ont évolué depuis le début du récit ?

Une fin ouverte

6 **a.** Classez ces éléments selon qu'ils sont positifs ou négatifs.
Jean-François dépiste la poursuite et assure la sécurité des survivants.
Les Allemands du champ de tir jouent avec les condamnés.
Gerbier a retrouvé son demi-sourire et sa confiance en la Résistance.
Malgré ses affirmations, Luc n'est pas certain du choix de Mathilde.
Le Bison est d'une fidélité indéfectible envers Mathilde.
b. Selon toi, la fin est-elle optimiste ou pessimiste ? Pourquoi ?

La langue et le style

7 **a.** Relie chaque phrase à la figure de style correspondante.

« Le morceau de casque, de chair et de regard boucha l'orifice de la porte. »	●	●	périphrase*
« Les pointes des bougies flamboyaient, flamboyaient, comme des soleils aigus. »	●	●	comparaison*
« Une vague de fumée épaisse et noire [...] Un rideau sombre était tombé. »	●	●	métaphore*

b. Quelle figure de style déshumanise un personnage ? Comment ?

8 Dans le 2e extrait, lignes 24 à 60, relève le champ lexical du corps.

Faire le bilan

9 Complète le texte avec les mots suivants : roman, péripéties, fin, réalisme, ouverte, résolu.
Le dénouement constitue la . . . . du récit. En général, le problème des héros est . . . . Cependant, le . . . . de Kessel s'achève différement, puisque, dans le récit et dans la réalité, la guerre n'est pas finie. C'est pourquoi la fin est . . . . : on peut imaginer d'autres . . . . aux héros. Cela contribue donc au . . . . du roman.

À toi de jouer

10 « Quand Mathilde vit la voiture des tueurs s'approcher d'elle, Jardie ne put rien distinguer sur son visage. Le Bison tira... » : imagine en une vingtaine de lignes un autre dénouement au roman.

Étape 7 • Analyser la portée argumentative du roman

SUPPORT : Tous les extraits et l'enquête

OBJECTIF : Mesurer la dimension engagée du récit, repérer les procédés employés par l'auteur pour convaincre.

As-tu bien lu ?

1 Coche les réponses justes.
☐ Joseph Kessel écrit le roman alors que la France n'est plus occupée.
☐ Le général de Gaulle n'est pas mentionné dans le roman.
☐ Le roman est étayé de dates historiques précises.
☐ Aucun Allemand n'est véritablement nommé.

Un univers manichéen

2 a. Classe les personnages ou groupes suivants selon qu'ils sont ou non les alliés des nazis : Philippe Gerbier – le commandant du camp – le lieutenant de S.S. – le colonel Jarret du Plessis – la Gestapo – Luc Jardie – les Boches – un soldat allemand – les gardiens.
b. Comment sont désignés les Allemands et leurs alliés ? Pourquoi ?

3 a. Complète le tableau suivant.

	Principales qualités	Principaux défauts
Philippe Gerbier		
Félix la tonsure		
Mathilde		

4 a. Quels crimes la Gestapo et ses alliés n'ont-ils pas commis dans le roman ?
☐ Crever les yeux des condamnés.
☐ Menacer de prostituer une jeune fille.
☐ Fusiller des condamnés en les tirant « comme des lapins ».
☐ Obliger les prisonniers à en frapper d'autres et même à les pendre.
☐ Traîner par la barbe un vieux Juif.
☐ Déporter des hommes et femmes dans des camps.
b. Que peux-tu en conclure ?

5 a. Qui Kessel décrit-il avec un vocabulaire : mélioratif* ? péjoratif* ?
b. Explique comment il procède et justifie ce choix.

L'Armée des ombres

6 **a.** Retrouve le métier et l'âge des personnages principaux et secondaires nommés ci-dessous. Pour t'aider, un personnage a déjà été identifié.

Personnage	Métier	Âge
Gerbier ●	● architecte ●	● 18 ans
Félix ●	● étudiante ●	● 20 ans
Mathilde ●	● femme au foyer ●	● 30 ans
Luc ●	● garagiste ●	● 35 ans
Une jeune anarchiste ●	● ingénieur ●	● 40 ans
Un ami de Gerbier ●	● paysan ●	● 45 ans
Un jeune Breton ●	● universitaire ●	● 50 ans

b. Peux-tu décrire le profil type d'un résistant ? À ton avis pourquoi ?

La langue et le style

7 « La résistance a pris la forme de l'Hydre. Coupez-lui la tête, il en repousse dix. » (extrait du chapitre 5, Pocket, p. 153).
Quelle figure de style Gerbier emploie-t-il ? Explique-la.

8 **a.** Replace les mots enlevés : caves, nocturnes, secrètes.
Jamais la France n'a fait guerre plus haute et plus belle que celle des . . . . où s'impriment ses journaux libres, des terrains . . . . et des criques . . . . où elle reçoit ses amis libres et d'où partent ses enfants libres. (Extrait de la préface écrite par Joseph Kessel, Pocket, p. 8).
b. Quel est le lien entre les mots rajoutés et le titre du roman ?

Faire le bilan

9 Quels sont les objectifs de Joseph Kessel, parmi ceux cités ci-dessous ?
☐ Dénoncer les actes des nazis et du gouvernement de Pétain.
☐ Se moquer des nazis et des collaborateurs.
☐ Faire un portrait fidèle des résistants, témoigner de l'époque.
☐ Expliquer pourquoi la France a été divisée en deux zones.
☐ Distraire les lecteurs par un récit d'aventures.
☐ Rendre hommage à ceux qui ont résisté à l'occupant.

Donne ton avis

10 Explique le sens du titre *L'Armée des ombres*.

Écrire pour résister : groupement de documents

OBJECTIF : Comparer plusieurs documents sur le thème de la Résistance

DOCUMENT 1 *Le Chant de la libération (Le Chant des partisans),* paroles de Maurice Druon et Joseph Kessel, musique de Anna Marly, © Éditions Raoul Breton.

C'est à Londres, en mai 1943, que Joseph Kessel et son neveu Maurice Druon composent Le Chant des partisans, *sur une musique d'Anna Marly. Indicatif de l'émission de radio « Honneur et Patrie » puis signe de reconnaissance dans les maquis, il devient l'hymne de la Résistance française sous l'Occupation. « Ce chant est à jamais inscrit dans l'histoire » écrit Pierre Seghers dans* La Résistance et ses poètes *© Seghers, 1975.*

Ami, entends-tu le vol noir des corbeaux sur nos plaines ?
Ami, entends-tu les cris sourds du pays qu'on enchaîne ?
Ohé, partisans, ouvriers et paysans, c'est l'alarme.
Ce soir l'ennemi connaîtra le prix du sang et des larmes.

Montez de la mine, descendez des collines, camarades !
Sortez de la paille les fusils, la mitraille[1], les grenades.
Ohé ! les tueurs, à la balle et au couteau, tuez vite !
Ohé, saboteur, attention à ton fardeau, dynamite !

C'est nous qui brisons les barreaux des prisons pour nos frères.
La haine à nos trousses et la faim qui nous pousse, la misère.
Il y a des pays où les gens au creux des lits font des rêves.
Ici, nous, vois-tu, nous on marche et nous on tue, nous on crève...

Ici, chacun sait ce qu'il veut, ce qu'il fait quand il passe ;
Ami, si tu tombes, un ami sort de l'ombre à ta place ;
Demain, du sang noir sèchera au grand soleil sur les routes ;
Chantez, compagnons, dans la nuit la Liberté nous écoute.

1. **Mitraille** : tir d'obus ou de balles.

DOCUMENT 2 ROBERT DESNOS « Ce cœur qui haïssait la guerre... », paru dans *L'honneur des poètes,* 1946, repris dans Robert Desnos, *Destinée arbitraire*
© Gallimard, 1975.

Écrivain et résistant, Robert Desnos écrit ce poème le 14 juillet 1943, sous le pseudonyme de Pierre Andier. Mais, le 22 février 1944, il est arrêté par la Gestapo et déporté. Il meurt d'épuisement le 8 juin 1945 dans le camp de concentration de Terezin (Tchécoslovaquie), quelques jours après la libération du camp. « La poésie de Desnos, c'est la poésie du courage. » dit son ami le poète Paul Éluard en octobre 1945, lors du retour de ses cendres en France.

Ce cœur qui haïssait la guerre voilà qu'il bat pour le combat et la bataille !
Ce cœur qui ne battait qu'au rythme des marées, à celui des saisons, à celui des heures du jour et de la nuit,
Voilà qu'il se gonfle et qu'il envoie dans les veines un sang brûlant de salpêtre[1] et de haine
Et qu'il mène un tel bruit dans la cervelle que les oreilles en sifflent
Et qu'il n'est pas possible que ce bruit ne se répande pas dans la ville et la campagne
Comme le son d'une cloche appelant à l'émeute et au combat.
Écoutez, je l'entends qui me revient renvoyé par les échos.
Mais non, c'est le bruit d'autres cœurs, de millions d'autres cœurs battant comme le mien à travers la France.
Ils battent au même rythme pour la même besogne tous ces cœurs,
Leur bruit est celui de la mer à l'assaut des falaises
Et tout ce sang porte dans des millions de cervelles un même mot d'ordre :
Révolte contre Hitler et mort à ses partisans !
Pourtant ce cœur haïssait la guerre et battait au rythme des saisons,
Mais un seul mot : Liberté a suffi à réveiller les vieilles colères
Et des millions de Français se préparent dans l'ombre à la besogne que l'aube proche leur imposera.
Car ces cœurs qui haïssaient la guerre battaient pour la liberté au rythme même des saisons et des marées, du jour et de la nuit.

1. **Salpêtre** : nitrate qui se forme sur les murs humides et que l'on utilisait comme poudre dans les explosifs.

DOCUMENT 3 MARIANNE COHN, « Je trahirai demain », 1943, DR.

Jeune résistante allemande d'origine juive, Marianne Cohn fait passer des enfants juifs en Suisse. Elle est arrêtée en 1943, relâchée trois mois plus tard. C'est de cette période que date le poème « Je trahirai demain ». En mai 1944, la Gestapo l'arrête à nouveau. Torturée, elle ne révèle rien afin de protéger les enfants. Elle est assassinée à coups de bottes et de pelles en juillet 1944.

Je trahirai demain pas aujourd'hui.
Aujourd'hui, arrachez-moi les ongles,
Je ne trahirai pas.

Vous ne savez pas le bout de mon courage.
Moi je sais.
Vous êtes cinq mains dures avec des bagues.
Vous avez aux pieds des chaussures
Avec des clous.

Je trahirai demain, pas aujourd'hui,
Demain.
Il me faut la nuit pour me résoudre,
Il ne faut pas moins d'une nuit
Pour renier, pour abjurer, pour trahir.

Pour renier mes amis,
Pour abjurer le pain et le vin[1],
Pour trahir la vie,
Pour mourir.

1. **Le pain et le vin** : pour les chrétiens, ils représentent le corps et le sang du Christ. Abjurer le pain et le vin reviendrait à trahir sa foi, ainsi que les éléments positifs de la civilisation.

Je trahirai demain, pas aujourd'hui.
La lime est sous le carreau,
La lime n'est pas pour le barreau,
La lime n'est pas pour le bourreau,
La lime est pour mon poignet.

Aujourd'hui je n'ai rien à dire,
Je trahirai demain.

DOCUMENT 4 Photographie de Marc Riboud, *La jeune fille à la fleur,* 21 octobre 1967, Washington.

Lors de la guerre du Vietnam, des pacifistes manifestent devant le Pentagone à Washington. Une jeune fille, Jane Rose Kasmir, s'avance vers les baïonnettes, une fleur à la main…

As-tu bien lu ?

1 Les documents 1, 2 et 3 sont des poèmes. Indique tous les éléments qui le prouvent.

2 Les vers sont-ils des vers libres* ou des vers réguliers* ? Justifie ta réponse.

3 Dans quel poème trouve-t-on des rimes* ? Relève deux exemples qui le prouvent.

L'appel du poète aux lecteurs

4 **a.** Relève dans chaque poème les pronoms personnels et déterminants possessifs de première et de deuxième personnes.
Sont-ils nombreux ? Pourquoi ?
b. À qui les poètes s'adressent-ils ? Relève les groupes nominaux et pronoms personnels qui l'indiquent.

5 Quels sont les différents procédés syntaxiques* utilisés dans ces documents pour interpeller le lecteur ?

6 Quelle hyperbole* souligne la fraternité des hommes dans le document 2 (vers 9, 13 et 17) ? Explique-la.

L'hymne à la Résistance

7 **a.** Complète le tableau suivant.

Mots et expressions qui décrivent :	Document 1	Document 2	Document 3
Les nazis			
Les persécutés			

b. Par quels procédés les nazis sont-ils déshumanisés ?

8 **a.** Relève le champ lexical* du combat dans les documents 1 et 2.
b. Quel paradoxe* le poète souligne-t-il ainsi dans le vers 1 du document 2 ?

9 **a.** Au nom de quoi les poètes incitent-ils à la lutte dans les documents 1 et 2 ?
b. Jusqu'où est prêt à aller le poète dans le document 3 ?

10 **a.** Relève deux anaphores* ou répétitions* dans chaque poème.
b. En quoi contribuent-elles au rythme des poèmes ?

11 Quelles sont les visées de chacun de ces poèmes ?

Lire l'image

12 Que voit-on sur cette photographie ?

13 Quels éléments sont en opposition sur cette image ?
Pour répondre, observe le décor, les personnages, les objets mais aussi la composition du tableau (lignes de forces, ombres et lumière).

14 Quel message Marc Riboud souhaite-t-il faire passer à travers sa photographie ? Y parvient-il ? Comment ?

À toi de jouer

15 Comme les poèmes que tu viens de lire, écris un poème en vers libres dans lequel tu développeras deux champs lexicaux contraires, celui de la paix et celui de la guerre.
N'oublie pas de donner du rythme à ton texte, à l'aide des figures de style et des sonorités.

Donne ton avis

16 Selon toi, la poésie constitue-t-elle une forme de résistance efficace ?
Justifie ta réponse.

Dans L'Armée des ombres, *Joseph Kessel présente la Résistance comme un groupe hiérarchisé et minutieusement organisé, même si l'imprévu fait partie du quotidien des résistants. Pourtant, la Résistance à ses débuts est un groupe minoritaire et hétérogène. Comment et pourquoi ce mouvement va-t-il prendre de l'ampleur ? Qui sont les hommes et les femmes qui s'y engagent ?*

Pourquoi et comment est née la Résistance ?

1 Dans quelles circonstances la Résistance apparaît-elle ?

Juin 1940. C'est la déroute pour l'armée française avec près de 100 000 morts et 1,8 million de prisonniers. Alors que le président du Conseil démissionne, le maréchal Pétain demande l'armistice[1] à l'Allemagne le 17 juin 1940. Dès lors la France va connaître l'Occupation et ses conséquences jusqu'à sa libération, en août 1945.

● NAISSANCE DE L'ÉTAT FRANÇAIS

L'armistice est signé dès le 22 juin 1940. Le combat s'arrête mais le prix à payer est lourd pour la France : versement d'un important tribut économique, perte de l'Alsace et de la Lorraine, occupation du pays qui est divisé en plusieurs zones, dont l'une, la zone dite « libre »[2] au Sud, est dirigée par Pétain. C'est ainsi qu'est créé l'État français[3].

La ligne de démarcation en 1940.

1. Armistice : arrêt des combats entre deux armées.

2. Les deux sont séparées par une ligne de démarcation. Pour passer d'une à l'autre, il faut un Ausweis, un laissez-passer

3. L'État français est aussi surnommé le régime de Vichy, en raison de la ville où s'installe le gouvernement de Pétain

Un parc de jeux interdit aux enfants juifs, comme l'indique l'arrêté sur la barrière, à Paris en 1942.

« TRAVAIL, FAMILLE, PATRIE »

C'est par cette devise que Pétain remplace la devise républicaine « Liberté, Égalité, Fraternité ». Cette formule est révélatrice du régime autoritaire mis en place. En effet, Pétain concentre les pouvoirs exécutif, législatif et judiciaire. Il prône la Révolution nationale[4] ; les élections sont suspendues, la presse censurée, les écoles surveillées ; les partis politiques et les syndicats sont interdits.

LA COLLABORATION AVEC L'ALLEMAGNE NAZIE

Très vite, le régime de Vichy collabore avec les nazis. Un « statut des Juifs » les empêche d'exercer certaines professions. Les communistes ou francs-maçons sont aussi victimes d'exclusion.

En octobre 1940, la rencontre entre Hitler et Pétain scelle cette collaboration qui se développe activement en 1942. Parmi les mesures prises par Pétain on note : la création du S.T.O.[5] et de la milice[6], la persécution des Juifs et opposants.

Les Juifs sous le régime de Vichy

La situation des Juifs en France ne cesse de s'aggraver sous l'Occupation. Interdiction d'exercer certains emplois, d'accéder à certains lieux, obligation de porter l'étoile jaune en mai 1942. À cela s'ajoutent en 1942 la confiscation de leurs biens, les arrestations et déportations. Ainsi les 16 et 17 juillet 1942 a lieu la plus grande rafle de l'Occupation, la rafle du Vel'd'Hiv : 13 000 Juifs sont arrêtés.

4. Révolution nationale : politique de Vichy qui remet en cause les principes démocratiques.

5. S.T.O. : service de travail obligatoire créé en 1943. Il obligeait les jeunes de 21 à 23 ans à travailler en Allemagne.

6. Milice : police de Pétain à la solde des nazis.

2 Quelle forme prend la Résistance à ses débuts ?

Affaiblis par deux guerres successives, éprouvés par l'exode et la pénurie, les Français sont peu nombreux à résister en 1940. Si à Londres les premiers résistants se rassemblent autour du général de Gaulle, en France ils sont encore isolés et forment une rébellion disparate.

● L'APPEL DU GÉNÉRAL DE GAULLE

Alors que Pétain accepte la défaite, le général de Gaulle, replié à Londres, est convaincu qu'il faut poursuivre le combat. Le 18 juin 1940, il lance sur les ondes de la B.B.C.[1] un appel à la résistance. Le régime de Vichy le destitue alors de ses titres militaires, l'inculpe de trahison et le condamne à mort.

Cet appel connaît pourtant un faible retentissement[2]. Autour du général, on ne compte encore que 7000 volontaires. Ils constituent le noyau des F.F.L.[3]

Le général de Gaulle s'adresse aux Français à la radio britannique.

La manifestation du 11 novembre 1940

Lors de l'anniversaire de l'armistice de 1918, un cortège d'étudiants se dirige vers l'Arc de Triomphe pour se recueillir sur la tombe du soldat inconnu. La répression ne se fait pas attendre et plusieurs arrestations ont lieu.

1. B.B.C. : radio britannique, outil d'information.

2. En réalité, l'appel, peu entendu, sera enregistré ultérieurement.

3. F.F.L. : Forces Françaises Libres, organisation créée par de Gaulle qui combat aux côtés des Alliés.

● LA VIE DES FRANÇAIS SOUS L'OCCUPATION

À cause des tributs[4] versés à l'Allemagne, les Français ont faim. Ils doivent se contenter des tickets de rationnement ou des ersatz[5], produits de remplacement. Malgré cela, les denrées manquent et certains en profitent pour se livrer au marché noir[6]. Les contrôles policiers, le sort des prisonniers puis les menaces de représailles et les bombardements alliés attisent la peur.

Affiche réalisée par des enfants en 1941.

● DES INITIATIVES DÉSORGANISÉES

En 1940, lors de l'armistice, une minorité s'oppose activement au régime de Vichy. En effet, les Français font confiance à Pétain, le vainqueur de Verdun, les préoccupations quotidiennes – pénurie alimentaire et matérielle – sont la priorité des Français. Cependant, tout comme de Gaulle, certains refusent la défaite et la collaboration. Ainsi apparaissent les premiers actes de résistance, fruits d'initiatives personnelles et spontanées : rédaction de tracts et de graffitis[7] hostiles à l'ennemi, assistance aux soldats anglais ou français évadés, stocks d'armes abandonnées, menus sabotages (pneus crevés, fils électriques coupés), manifestations publiques.

4. Tributs : la France doit verser à l'Allemagne plus de 30 % de son

5. Ersatz : le sucre est à base de pois chiches ou de glands grillés, les cigarettes

6. Marché noir : vente illégale de produits à des prix

7. Graffitis : inscriptions ou dessins griffonnés

3 Comment la Résistance se structure-t-elle ?

En France, les signes d'hostilité envers l'occupant se multiplient, par des gestes de désapprobation ou des actions contre les Allemands. Il s'agit désormais de donner une unité à l'ensemble de ces initiatives.

● LES RÉSEAUX ET MOUVEMENTS DE RÉSISTANTS

C'est en 1941 que la Résistance française s'organise véritablement. Construite à l'aide de personnalités fortes, en relation avec le général de Gaulle à Londres, elle voit naître deux types d'organisations.
Les réseaux sont en liaison directe avec l'état-major anglais puis américain. Leur recrutement est restreint à cause de leurs missions centrées sur les renseignements, le sabotage ou les évasions.

L'attentat à la station Barbès

Le 21 août 1941, Pierre Félix Georges, plus connu sous le nom du colonel « Fabien », abat un officier allemand. Désormais, la lutte armée ne vise plus seulement les installations mais aussi l'occupant. Provoqué par les répressions intensives de l'occupant, l'attentat sera suivi par l'arrestation et l'exécution d'otages.

Les F.T.P. et les F.F.I.

Les Francs-Tireurs et Partisans (F.T.P.), appelés Francs-Tireurs, sont un réseau issu d'une formation politique, les communistes, premiers opposants au nazisme, affectés par l'invasion de l'URSS par Hitler le 22 juin 1941.
Créées le 1er février 1944, les Forces Françaises de l'Intérieur (F.F.I.) soulignent la volonté de la Résistance intérieure d'unifier son action au sein d'un même groupe armé.
Après la Libération, le général de Gaulle les incorpore à l'armée régulière.

Les mouvements s'adressent à l'opinion publique à l'aide de la presse et des éditions clandestines[1]. La diversité à la fois politique et professionnelle des résistants s'explique par l'absence d'institution[2].

1. Par exemple : *Combat, Libération, Franc-Tireur, Défense de la France.*
2. En effet, l'institution, représentée par Pétain, est au service des nazis !

L'influence du CNR sur notre époque

Le programme du CNR comporte une bonne partie de nos acquis démocratiques et sociaux : c'est à lui que nous devons le retour du suffrage universel et de la liberté de la presse, la Sécurité sociale et l'instruction pour tous.

● L'ORGANISATION ET L'UNIFICATION DE LA RÉSISTANCE

En 1941, l'invasion allemande en U.R.S.S. incite les communistes à se joindre à la Résistance. En 1943, certains jeunes refusent le STO et rejoignent alors le maquis[3]. À Alger, fort du ralliement d'une partie de l'empire colonial français, de Gaulle fonde le CFLN, comité français de libération nationale.
Pour unifier les résistants et coordonner leurs actions, il place Jean Moulin à la direction des mouvements de Résistance intérieure. Le CNR, Conseil National de la Résistance, est ainsi créé le 27 mai 1943.

Jean Moulin, héros de la Résistance

Préfet révoqué par Vichy, Jean Moulin rejoint le général de Gaulle à Londres en octobre 1941. Celui-ci le charge d'une double mission : unir les mouvements de résistance et créer l'Armée secrète. Malgré les difficultés, Jean Moulin réussit. De Gaulle le nomme alors son seul représentant et lui confie la création du Conseil de la Résistance (futur CNR). Mais, le 21 juin 1943, arrêté près de Lyon par la Gestapo, Jean Moulin est torturé. Il meurt le 8 juillet 1943, lors de son transfert en Allemagne, sans avoir révélé un mot sur la Résistance.

3. **Maquis :** zone perdue dans les campagnes et montagnes où se regroupaient les résistants.

4 Quelles sont les actions de la Résistance ?

En France, la Résistance mène une campagne d'information envers la population et s'illustre par des actions contre l'occupant.

● LA CONTRE-PROPAGANDE[1]

Vichy et l'occupant contrôlent la presse. Face à l'ennemi, la Résistance mène une contre-propagande efficace : rédaction, fabrication de tracts et de journaux clandestins ; diffusion de messages par la radio. La Résistance appelle à la révolte, notamment par l'engagement d'écrivains reconnus.

Résistance par les mots

Le poème *Liberté* de Paul Éluard est parachuté dans les maquis ; Vercors publie aux éditions de Minuit (une édition clandestine) *Le Silence de la mer*, une nouvelle dans laquelle une famille résiste à l'occupant par son mutisme.

● AGIR DANS LE SECRET

Les actions entreprises par les résistants sont le plus souvent secrètes. Ainsi, ils fabriquent de faux papiers[2], cachent des proscrits (militaires évadés, soldats anglais, juifs) et leur font passer la frontière. Ils stockent aussi des armes et munitions et cherchent des terrains de parachutage pour les Alliés.

Une imprimerie clandestine dans le quartier de l'Hôtel de Ville à Paris.

1. Propagande : action exercée sur l'opinion pour lui faire accepter certaines idées. C'est un moyen d'endoctrinement pour le régime de Vichy qui recourt à la fabrication de fausses nouvelles ou de rumeurs

2. Les faux papiers facilitent les déplacements d'une zone à l'autre, permettent de changer d'identité

Sabotage d'une voie ferrée par des résistants.

LE SABOTAGE ET LES COMMANDOS

Dès 1940, Churchill crée en Angleterre un service spécial dont les membres, parachutés en France, forment les résistants au sabotage et à la réception d'armes et de munitions.

Plus tardivement, les attentats contre l'ennemi et les opérations commandos montrent un nouveau visage de la Résistance.

LES MAQUIS

Refuge pour déserteurs, le maquis[3] devient une réserve de combattants à former, qui s'accroît avec les réfractaires au S.T.O. en février 1943.

Le sacrifice des résistants

La France doit beaucoup aux résistants. Certains ont survécu mais d'autres ont été torturés, exécutés ou déportés. Plusieurs lettres de survivants et de condamnés témoignent de leur expérience.

Lucie Aubrac s'engage dans la Résistance aux côtés de son mari, alors qu'elle est enceinte de son deuxième enfant.

3. Les résistants réfugiés dans le maquis sont appelés les **maquisards**.

5 Quel rôle joue la Résistance dans la libération ?

Dirigée par de Gaulle, structurée par Jean Moulin, la Résistance confirme sa cohésion en 1944 en regroupant ses membres sous le nom de F.F.I., forces françaises de l'intérieur.

● LA PRÉPARATION DU DÉBARQUEMENT

Malgré un armement insuffisant, les résistants contribuent largement à préparer le débarquement du 6 juin 1944 en Normandie.

En effet, ils freinent l'ennemi par des embuscades et des sabotages, servent d'éclaireurs aux armées alliées et bloquent l'occupant sur certains ports de la côte ouest.

● LES COMBATS DE LA LIBÉRATION

Le 15 août 1944, les F.F.L., dirigées par le général de Lattre de Tassigny, débarquent en Provence et remontent jusqu'en Alsace.

Dix jours plus tard, la 2e division blindée du général Leclerc, rejointe par les F.F.I., libère Paris.

Le 26 août, le général de Gaulle rentre en France et constitue un gouvernement provisoire avec des membres de la Résistance. Il restaure la République.

Le général de Gaulle descend les Champs-Élysées à Paris avec les membres du CNR, des FFL et de la 2e DB, le 26 août 1944.

Petit lexique du récit

Anaphore	Figure de style employée en poésie. Répétition d'un ou de plusieurs mots sur au moins deux vers qui se suivent.
Autobiographique	Le récit autobiographique est un récit rétrospectif dans lequel le narrateur est aussi le personnage principal. Il y raconte des épisodes importants de sa vie.
Champ lexical	Ensemble des mots qui se rapportent à un même thème, à un même sujet.
Comparaison	Figure de style qui consiste à comparer deux éléments différents à l'aide d'un outil de comparaison (le plus souvent « comme »).
Contemporain	Adjectif qui signifie que les faits de l'action se déroulent à l'époque à laquelle vit l'auteur.
Dénouement	Fin d'un récit, de longueur variable selon le genre narratif du texte. Les héros trouvent un terme à leurs aventures, de façon positive ou négative.
Énumération	Figure de style. Liste de mots de même nature grammaticale séparés par une virgule.
Épistolaire	Qui renvoie à la correspondance par lettres. Un roman épistolaire est un récit constitué par un échange de lettres entre les personnages.
Fin ouverte	Fin qui ne termine pas le récit de façon définitive, dont on pourrait imaginer la suite.
Hyperbole (ou exagération)	Figure de style qui consiste à employer des termes exagérés pour les mettre en valeur.
Implicite	Ce qui n'est pas formulé mais que l'on comprend par sous-entendu (contraire d'explicite).
Incipit	En latin cela signifie « il commence ». C'est donc le début, premières lignes ou premières pages, d'un récit.
Intrigue	Dans le domaine littéraire, c'est l'action principale d'une histoire.
Ironie	Procédé rhétorique (d'argumentation) qui consiste à dire le contraire de ce que l'on veut faire comprendre. Ce sont l'intonation ou le contexte qui permettent d'en comprendre le sens.

Ironique	Qui emploie l'ironie.
Mélioratif (fém. méliorative)	Vocabulaire qui donne une image positive de ce dont on parle.
Métaphore	Figure de style qui consiste à comparer deux éléments, apparemment très différents, en faisant ressortir un point commun plus ou moins explicite entre ces deux éléments. Il n'y a pas d'outil de comparaison.
Narratif	Qui est propre à la narration, au récit, au déroulement de l'histoire.
Paradoxe	Opposition qui ne semble pas logique car elle réunit deux aspects contradictoires. Par exemple : « Il a réussi son devoir alors qu'il n'a pas travaillé. »
Péjoratif (fém. péjorative)	Vocabulaire qui donne une image négative de ce dont on parle.
Périphrase	Figure de style qui consiste à désigner quelqu'un ou quelque chose non par son nom mais par un groupe de mots mettant en valeur une ou plusieurs de ses caractéristiques.
Procédés syntaxiques	Procédés qui mettent en valeur les éléments d'un texte par la construction de la phrase : phrases nominales, types exclamatif, interrogatif ou impératif, utilisation des différentes propositions, apposition, emploi de figures de style, etc.
Rebondissement	Retournement de situation inattendu au cours des péripéties.
Répétition	Figure de style qui consiste à répéter un ou plusieurs mots.
Péripéties	Épreuves rencontrées par les héros au cours de leurs aventures. Elles peuvent être de formes diverses (obstacle matériel, ennemi, faiblesse morale, etc.)
Vers libres	Vers irréguliers, qui ne riment pas entre eux, organisés selon leurs sonorités et leur rythme.
Vers réguliers	Vers qui correspondent aux règles de la versification classique c'est-à-dire de même longueur et qui riment entre eux.

À lire et à voir

• PROSE ET POÉSIE DES ÉCRIVAINS RÉSISTANTS

Vercors
Le silence de la mer
COLL. « LE LIVRE DE POCHE » © LGF, 2001.

Vercors publie illégalement cette nouvelle en 1942 sous son pseudonyme de résistant. ***Le silence de la mer***, c'est le défi silencieux que lance une famille à l'occupant en refusant de lui adresser la parole.

Dirigé par Josiane Grinfas
La Résistance en poésie. Des poèmes pour résister
COLL. « CLASSIQUES ET CONTEMPORAINS » © MAGNARD, 2008.

Ce recueil propose des poèmes célèbres, comme ceux d'Aragon ou d'Éluard, mais permet de découvrir aussi des textes méconnus. Tous revendiquent le choix de la Résistance sous l'Occupation, et même après.

• DES HISTOIRES D'ENFANTS RÉSISTANTS SOUS L'OCCUPATION

Jean-Jacques Greif
Mes enfants, c'est la guerre !
COLL. « ÉCOLE DES LOISIRS » © MÉDIUM, 2002.

La guerre est déclarée, Jacob est contraint de se faire appeler Jacquot. Mais, à Mimizan, en zone occupée, Madame Christiane, qui s'occupe de Jacob, ne se démoralise pas : elle gère avec vitalité le quotidien et sauve des enfants.

Bertrand Solet
La nuit la plus courte
COLL. « PÈRE CASTOR » © FLAMMARION, 2004.

La nuit la plus courte, c'est la nuit du 5 au 6 juin 1944, la Libération est en marche. Cette nuit-là, Lucien et Anne-Marie, deux adolescents, vont faire des rencontres surprenantes.

Michael Morpurgo
Anya
Coll. « Folio Junior » © Gallimard Jeunesse, 2009.

Dans les Pyrénées, un jeune berger, Jo, découvre des enfants juifs cachés dans une ferme. Malgré la surveillance constante des Allemands, Jo décide de les aider.

Claude Gutman
La maison vide
Coll. « Folio Junior » © Gallimard jeunesse, 2010.

Le 16 juillet 1942, la police a emmené toute la famille de David. Il attend leur retour et culpabilise de n'avoir pas été pris lui aussi.

• DES ALBUMS SUR LA RÉSISTANCE

Jean Cazalbou
Fabrice et les passeurs de l'ombre
Coll. « Castor Poche » © Flammarion, 2001.

Hiver 1940. Fabrice vit à la montagne. Lors d'une excursion, il rencontre un homme et sa petite-fille, Myriam, réfugiés dans une maison abandonnée. Fabrice se lie d'amitié avec Myriam...

Didier Daeninckx
Il faut désobéir !
Coll. « Histoire d'histoire » © Rue du Monde, 2002.

Le grand-père d'Alexandra parle de son enfance Juif, il a connu les pires heures de l'Occupation. La vie, il la doit à un policier qui a résisté en désobéissant aux ordres.

Jo Hoestlandt, Johanna Kang
La grande peur sous les étoiles
© Syros Jeunesse, 2006.

Hélène, une vieille dame, se souvient du jour où la maman de son amie Lydia a cousu une étoile jaune sur sa veste. « Joli ou pas, on n'a pas le choix. Tous les Juifs doivent la porter. C'est une nouvelle loi. »

• DES SITES POUR LES PLUS CURIEUX

http://www.musee-resistance.com/

En accord avec le ministère de l'Éducation, ce site offre une mine d'informations : images de résistants, exposition en cours, publications prévues. Les témoignages de résistants valent à eux seuls le détour.

http://www.cndp.fr/poetes-en-resistance/accueil.html

Ce site présente avec lisibilité les « poètes en résistance », propose des poèmes emblématiques accompagnés d'une étude littéraire.

• DES FILMS SUR LA RÉSISTANCE ET L'OCCUPATION

La Traversée de Paris
Film de Claude Autant-Lara (novembre 1956)
AVEC JEAN GABIN, BOURVIL, LOUIS DE FUNÈS

Bourvil endosse le rôle de Martin, un brave homme, qui doit transporter dans Paris occupé quatre valises pleines de jambon. Il est accompagné de Grandgil, incarné par Jean Gabin, qui se révèle vite incontrôlable.

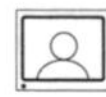

Paris brûle-t-il ?
Film de René Clément (1965)
AVEC JEAN-PAUL BELMONDO, CHARLES BOYER, LESLIE CARON

Août 1944. Alors que la Libération par les Alliés est proche, Hitler ordonne de détruire Paris.

L'Armée des ombres
Film de Jean-Pierre Melville (1969)
AVEC LINO VENTURA, SIMONE SIGNORET, PAUL MEURISSE

Une adaptation assez fidèle du roman de Joseph Kessel.

Table des illustrations

Iconographie : Hatier Illustration
Principe de maquette : Marie-Astrid Bailly-Maître & Sterenn Heudiard
Suivi éditorial : Brigitte Brisse
Illustrations intérieures : Hélène Perdereau
Mise en page : CGI

Hatier s'engage pour l'environnement en réduisant l'empreinte carbone de ses liv
Celle de cet exemplaire est de
650 g éq. CO_2
Rendez-vous sur
www.hatier-durable.fr

Achevé d'imprimer par Grafica Veneta à Trebaseleghe - Italie
Dépôt légal : 95920-2/09 - Décembre 2021